Government of Canada
Veterans Affairs

Gouvernement du Canada
Anciens Combattants

# VALOUR REMEMBERED

## Canada and the Second World War

## 1939 – 1945

Written by Patricia Giesler
Directorate of Public Affairs
Veterans Affairs Canada

Designed by Edith Pahlke

Photographs courtesy of the Public Archives Canada, the Department of National Defence and the Canadian War Museum

Maps courtesy of the Directorate of History,
Department of National Defence

Cover: *Carrier Convoy After Dark*, 1944, by B.J. Bobak
Courtesy of the Canadian War Museum

Available from the Directorate of Public Affairs,
Veterans Affairs Canada, Ottawa K1A 0P4



Cat. No. V32-26/1981
ISBN 0-662-51651-6

# Contents

# Introduction

The Second World War lasted six terrible years and left a legacy of death and destruction. It was truly a world war encircling the globe from the Atlantic to the Pacific and touching the far reaches of the Arctic. Nor was it confined to soldiers and battlefields, for new weapons of destruction made war possible on the land, in the air, and beneath the seas, and brought death and suffering indiscriminately to the young and the old, to their homes and their hearts.

A few pages are not sufficient for a full account of that war — its causes, its events, its heroism and its treachery. The aim here is simply to tell something of the story of the Canadians who went overseas, to give some idea of where they fought and died, and what they were able to achieve.

For a young nation it was a remarkable achievement. Serving in the Canadian Army, the Royal Canadian Navy, the Royal Canadian Air Force and with other Allied forces, thousands of young Canadians fought from 1939 to 1945 on the battlefronts of the world. They were there to defend the United Kingdom when it appeared that Nazi invasion was imminent. They fought valiantly in the unsuccessful attempt to defend Hong Kong against the Japanese. At Dieppe they bore the brunt of a daring, but fateful raid against the enemy-controlled coast of France. Above all they played their part in two great campaigns: they fought for twenty months in Italy, and were in the front lines when the Allies returned to Continental Europe on D-Day in 1944.

They brought honour and a new respect to their country. Most of all they helped to win the struggle against the tyranny and oppression which threatened to engulf the world. It was for our freedom that these young Canadians fought, and it was for that freedom that many of them died.

More than one million Canadians and Newfoundlanders served in the Second World War. Of these more than 45,000 gave their lives, and another 55,000 were wounded. Countless others shared the suffering and hardship of war.

These few words are dedicated to those who fought that we might live in freedom. It is their valour that we must remember.

*Convoy assembled in the Bedford Basin, Halifax, N.S., April 1942. (Public Archives Canada PA-112993)*

## The War Begins

The Second World War began at dawn on September 1, 1939 as the German armies swept into Poland. With the full fury of the *blitzkrieg* — the lightning war — the German armoured (Panzer) divisions destroyed Polish defences in the west. The Soviet troops, as previously agreed with Germany, crossed the eastern frontier. Trapped between two advancing armies Polish resistance ended. Poland surrendered.

Britain and France, honouring their pledge to Poland, declared war on Germany on September 3. Although not automatically committed by Britain's declaration of war, as in 1914, there was little doubt that Canada would quickly follow. On September 7 Parliament met in special session; on September 9 it approved support to Britain and France; on September 10 King George VI announced that Canada had declared war.

Canadian coastal defences were quickly manned, militia regiments, mobilized even before the outbreak of war, intensified preparations, and volunteers flocked to the colours. In September alone, 58,337 men and women enlisted. In December units of the 1st Canadian Infantry Division sailed for Britain, the first of thousands that were to serve overseas during the war.

Following the collapse of Poland a strange lull set in on the western front. This period of apparent inactivity from October 1939 to April 1940 became known as the "Phony War" or the "sitzkrieg". Both sides utilized the lull. Britain built up her defences, prepared her air forces, and dispatched an expeditionary force to the Continent. French troops took up positions on the Maginot Line — the fortified defence line on their eastern border. The Germans, too, manned their great Rhineland fortifications, known as the West Wall or the Siegfried Line — and they engaged in intense preparation for attack.

In Canada recruiting was stepped up to bolster the armed forces. The 2nd Canadian Infantry Division began arriving in England in the summer of 1940, and together with the 1st Division, the 1st Canadian Corps, under Lieut.-General A.G.L. McNaughton, was formed.

The Phony War came to a sudden end when, in April 1940, German troops without warning seized Denmark and launched an invasion of Norway. Allied troops were dispatched in a vain attempt to aid the small Norwegian forces. In the far north near the port of Narvik the British navy won two engagements, but these isolated victories were not enough; the Allied troops, which included some Canadian army engineers, were forced to withdraw. In less than two months the Germans had conquered Denmark and Norway and isolated Sweden. From the deep Norwegian fiords German submarines and warships could destroy British shipping along the route to Murmansk.

On May 10, the same day Winston Churchill became Prime Minister of Great Britain, Germany launched her *blitzkrieg* against Holland, Luxembourg, Belgium and France. The German army worked with clock-like precision. Within four days most of Holland was overrun and in just ten days the German forces had struck through the Ardennes forest, skirted the northern end of the Maginot Line, and reached the Channel ports. On May 27 Belgium surrendered.

With German troops pressing from all sides the Allied troops were forced to the Channel with the sea as the only hope of escape. Then came the "miracle of Dunkirk". Between May 27 and June 4 almost 350,000 men, mainly of the British Expeditionary Force, were evacuated across the Channel to England in every kind of vessel that would float from freighters to fishing boats. One final attempt by Canadian and British troops to maintain a "toe-hold" in France by forming a fortress area in the peninsula of Brittany also had to be abandoned. While the forced withdrawal at Dunkirk and the loss of weapons and equipment was undoubtedly a disaster, the heroic rescue of so many raised the morale of the now threatened British people.

Meanwhile, German armies were marching toward Paris. France, stunned by the speed of the German advance, was on the verge of collapse when Italy, under Mussolini, attacked on the Mediterranean front. The situation was considered hopeless. France surrendered on June 22, 1940.

## The Battle of Britain

Having lost its principal ally, Britain with its Dominions stood alone and awaited a German invasion. Churchill, in eloquent speeches, rallied his people and expressed the determination of Britain to meet "the whole fury and might of the enemy". It was a formidable enemy. From the north cape of Norway to the Pyrenees stretched a vast arc of coastline from which enemy submarines, surface ships and aircraft threatened Britain's maritime lifelines; in the air the German Air Force outnumbered the British three to one. However, Hitler hesitated and delayed Operation *Sea Lion* — the invasion of Britain — to mid-September.

It was fortunate that an invasion did not come, for the forces in Britain were not yet prepared to meet such a powerful foe. While the troops had been rescued from Dunkirk, they had been compelled to leave behind most of their equipment. Further, many of them had not yet received adequate training. The 1st Canadian Division, which still possessed the bulk of its equipment, therefore assumed a position of vital importance. In July the Canadians became part of the 7th British Army Corps. This new formation, comprising British, Canadian and New Zealand troops, came under the command of General McNaughton. It engaged in intense preparation for a role of counter-attack against the expected German assault.

However, before a Channel crossing could be attempted, the Royal Air Force would have to be knocked from the skies. On August 12, 1940 the German Air Force, the *Luftwaffe*, struck at Britain attacking the radar stations, bombing the airfields, and engaging British fighters in an attempt to gain air supremacy. Had the policy been continued the *Luftwaffe* might have been victorious, but the Germans switched to mass daylight raids on London giving the Fighter Command the needed respite, and they were able to inflict staggering losses on the *Luftwaffe*. Unable to control the air, Hitler indefinitely postponed Operation *Sea Lion*. The Battle of Britain was over.

Many Canadians served in the squadrons of Spitfires and Hurricanes which repulsed the *Luftwaffe* in the summer of 1940. No. 1 Fighter Squadron, RCAF, equipped with modern eight-gun fighters, became the first Royal Canadian Air Force (RCAF) unit to engage enemy planes in battle when it met a formation of German bombers over southern England on August 26, 1940. It shot down three of them and damaged four others with the loss of one pilot and one plane. Its next meeting with the enemy was not as fortunate as it was attacked out of the sun by Messerschmitts and lost three planes. By mid-October the squadron had accounted for 31 enemy aircraft destroyed and probably 43 more destroyed or damaged. It lost 16 Hurricanes; three pilots had been killed.

Other Canadians flew with the Royal Air Force during that difficult period. No. 242 (Canadian) Squadron RAF, which had been formed in 1939 from some of the many Canadians who flew directly with the Royal Air Force, was now reinforced with veterans from the French campaign and joined in the battle. On August 30, nine of its planes met a hundred enemy aircraft over Essex. Attacking from above, the squadron claimed 12 victories and escaped unscathed.

Canadians also shared in repulsing the *Luftwaffe*'s last major daylight attack. On September 27, 303 Squadron RAF and 1 Squadron RCAF attacked the first wave of enemy bombers. Seven, possibly eight enemy planes were destroyed, and another seven damaged. The Royal Canadian Air Force thus received its baptism of fire.

Their invasion plans wrecked, the Germans turned to night bombing to destroy Britain's will to fight. For nine months, the British people suffered an aerial bombardment of their major cities that was then without precedent. It only strengthened the determination of the people. The attacks became less frequent. Great Britain survived the blitz.

## The Battle of the Atlantic

From the very outset of hostilities, Britain faced a second threat to her survival. This menace came from the sea as Germany determined to starve the British people into submission by destroying their sea communications and cutting them off from overseas supplies. Gaining control of the entire coast of Europe from Narvik to the Pyrenees, the Germans set out from every harbour and airfield in western Europe to cut the lifelines to Britain.

For six long years the Canadian navy was one of the principal contenders in what was to be known as the Battle of the Atlantic. Beginning the war with a mere 13 vessels and 3,000 men, the Royal Canadian Navy ended it with 373 fighting ships and over 90,000 men. In the crisis of 1940, when German armies were marching into France, four destroyers of the RCN, were sent to the English Channel where they provided aid in the evacuation of forces, landed military troops, and carried out demolitions. After the fall of France the Canadian destroyers joined the Royal Navy in the struggle to protect the southwestern approaches to Britain where German submarines vigorously pressed their attacks. By July 1940 all ocean shipping had to be re-routed around the north of Ireland and through the Irish Sea.

Even this route was seriously threatened and the Canadian ships in British waters strove to fend off submarine attacks while rescuing survivors of torpedoed merchant ships. At the end of 1940, in an agreement between Great Britain and the United States, 50 old American destroyers were transferred to the Royal Navy. Canada acquired six of them. This made it possible to augment the Canadian contribution in British waters and, by February 1941, there were ten RCN destroyers working with the Home Fleet.

Although the Royal Navy was able to assert its superiority over the German surface fleet, the menace

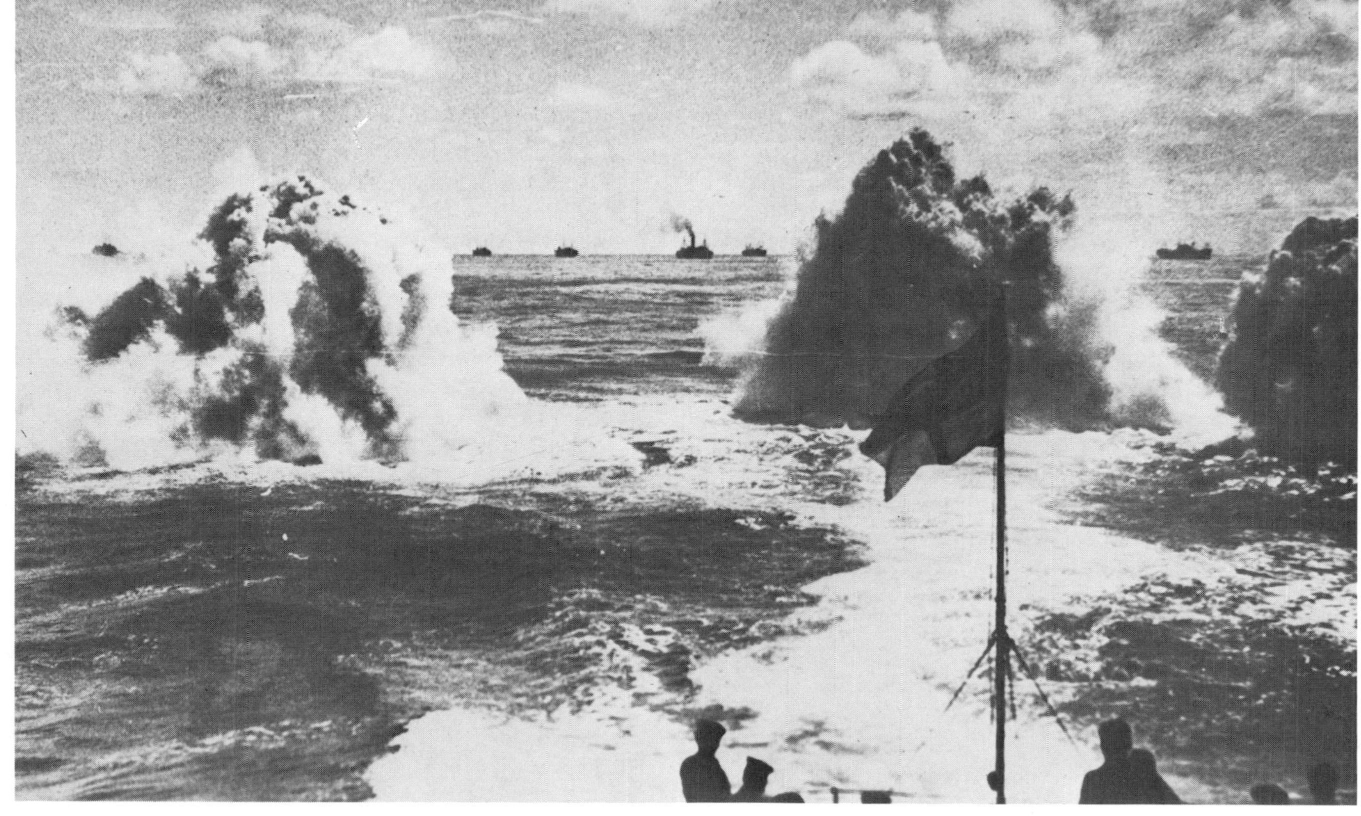

*Depth charges being dropped by HMCS Saguenay. (Public Archives Canada PA-116840)*

from German U-boats (*Unterseebooten*) mounted. More and more German submarines joined the packs hunting at sea. By the spring of 1941, they were sinking merchant ships faster than they could be replaced.

Bridging the Atlantic was the key to strategic supply. To transport as much as possible — goods and men — it was necessary to organize and control ship movements and protect ships from enemy attack. Therefore, convoys were formed to regulate ship movements and more effectively provide escorts both by sea and air.

It was in maintaining the Atlantic lifeline through convoy protection that Canadian seamen and airmen played an increasingly vital role. The first convoy sailed from Halifax on September 16, 1939, escorted by the Canadian destroyers, *St. Laurent* and *Saguenay* until well out in the open Atlantic where they relinquished the convoy to British cruisers. For many months — until new ships were launched — escort was the task. It was onerous and dangerous work and Canadians shared in the worst hardships experienced in the war at sea. Navigation in the North Atlantic was hazardous in the extreme, and men died not only from enemy attack, but from exposure and accidents in the fog and winter gales.

Nor was protection sufficient to prevent heavy losses. There were too few naval vessels and maritime patrol aircraft available, and a severe lack of technical modernization, and training.

German submarines concentrated at weak points in the naval defences of the Allies, and began attacking merchant ships much farther west with new long-range submarines and from new bases in the Bay of Biscay. Ships were lost because their escorts had reached the limits of their endurance and had to turn back. As spring 1941 approached, the enemy stepped up the scale of attack and shipping losses reached grave proportions. In June alone, over 500,000 tons of shipping were lost to U-boats.

To counteract this menace new types of vessels were constructed and scientists worked desperately to design new methods of locating and destroying the submarine. Canada's fleet was augmented by several new types of vessels of which the corvette was perhaps the most famous. Designed on the pattern of a whaler, it could be produced quickly and cheaply and had the ability to outmanoeuvre a submarine as well as long endurance. However, corvettes were known as "wet ships". As the seas broke over them, salty water seeped through seams, hatches and ventilators. They were intolerably crowded and living conditions on board for a crew of some 60 men were terrible. Nevertheless, these small ships, the first 14 of which were completed by the end of 1940, were invaluable in the anti-U-boat war.

As enemy U-boats began to probe farther west, the British countered by establishing new bases for ships and aircraft in Iceland and Newfoundland. The Newfoundland bases were made a Canadian responsibility. On May 31, 1941 Commodore L.W. Murray, RCN, was appointed commander of the Newfoundland Escort Force, later the Mid-Ocean Escort Force, reporting to the British Commander-in-Chief, Western Approaches. A few days later the first Canadian corvettes joined his command. In June Canadian destroyers in British home waters returned to serve with the Newfoundland force. By July the Newfoundland Escort Force totalled 12 groups, and was escorting convoys as far as 35 degrees west.

The RCAF, meanwhile, had been flying patrols from Newfoundland since 1939 and the first maritime patrol squadron had been stationed at Gander since 1940. It now provided air support to the Newfoundland Escort Force. In the eastern Atlantic the convoys were guarded

*Build up of ice on bow of HMCS Wetaskiwin, St. John's, Nfld., December 1942. (Public Archives Canada PA-118636)*

by the RAF Coastal Command which included RCAF squadrons. Thus flying from both sides of the Atlantic and from Iceland, aircraft patrolled the entire route except for a gap of about 300 miles in mid-ocean.

The sea battle raged on. New construction could not keep pace with shipping losses, escorts were nearly always outnumbered by the "wolf-pack" concentrations of U-boats and it became evident that the war could well be lost at sea.

Meanwhile, although officially neutral, the United States had become increasingly involved in the war at sea. In September 1941 Canadian naval forces came under American "co-ordinating supervision". This arrangement replaced control by the British Commander-in-Chief, based in England, with an American commander who would be much closer to the situation. However, when the United States officially entered the war in December 1941 following the Japanese attack on Pearl Harbor, many of the American ships were withdrawn to the Pacific to meet the new threat. This, unfortunately, weakened the Atlantic anti-submarine defences.

Early in 1942 the battle of the Atlantic shifted to the North American seaboard. The enemy destroyed coastal shipping from the Caribbean to Halifax, and even penetrated the Gulf of St. Lawrence. The German attacks were devastatingly successful and more than 200 ships, mostly tankers, were sunk within ten miles of the Canadian or American coastlines. The benefits of convoys were acknowledged by U.S. naval authorities and Canada's small and already over-burdened fleet was called upon to protect southward-bound shipping. The Canadian naval service, with 188 warships and 16,000 men serving at sea, now provided nearly half the surface escorts for convoys from North America to Britain. The RCAF, with eight maritime patrol squadrons and 78 aircraft on the Atlantic seaboard, carried out increased air surveillance of the Northwest Atlantic.

Support for convoys remained insufficient for the task. The winter of 1942-43 was desperate. Free to operate from bases in the Bay of Biscay, German submarine strength grew and attacks increased. While Canadian ships were able to register four victories in the summer of 1942, nothing that winter could curb the staggering loss of convoy tonnage.

Canadians were acutely aware of serious problems in their operations. Their ships and equipment were inadequate to meet the challenge. Aircraft had proven very valuable in combatting submarines, but the RCAF squadrons in Eastern Air Command had no really long-range aircraft. The result was that U-boats could attack in relative freedom in the gap in mid-Atlantic known as the Black Pit. Further, although there were very few American ships in the Atlantic the Newfoundland Escort Force remained under American command.

The grim state of the Atlantic war led to an Altantic Convoy Conference in March 1943 with British, American and Canadian participation. It was agreed that Britain and Canada would share responsibility for the North Atlantic. Rear Admiral Murray was given direct command of that sector of the Atlantic bounded by a line running eastward from New York and southward from Greenland along the meridian of 47 degrees west. The appointment of a Canadian to this key post of Commander-in-Chief, Canadian Northwest Atlantic, illustrated dramatically the increased role and stature of the RCN. In a world divided into operational sectors, Murray became the sole Canadian to bear such responsibilities.

Training, air cover and better equipment turned the tide of the convoy war in 1943. In May the RCAF acquired from Britain some of the long-range Liberator bombers it needed to cover the mid-ocean gap and new escort vessels with modernized equipment allowed the formation of powerful support groups. This, plus improved training, enabled the Allies to take the lead in the Atlantic.

The Atlantic battle continued until the end of the war. At times, notably in the fall of 1943 and of 1944, it turned dangerous again. U-boats with new equipment such as the acoustic torpedo and the *schnorkel*, which allowed air to be drawn into a submarine under the water and exhaust fumes to be expelled, swung the balance back to the submarines for a time. By March 1945, the German navy had 463 U-boats on patrol, compared to 27 in 1939.

Yet, between them, the RCAF and the RCN had turned the tide in their sector of the Atlantic. More and more Canadian seamen were crossing the Atlantic to engage in battle closer to the enemy. As they returned to British waters, men of both the Canadian services showed the benefits of training and hard experience.

## The March of Conquest

The year 1941 was to see the war encircle the globe, and see the creation of the Grand Alliance of Great Britain, Russia and the United States against the Axis powers, Germany, Italy and Japan.

In the autumn of 1940, while the Battle of Britain was still raging, Mussolini, the Italian dictator, perceived an opportunity for conquest. On September 13, 1940 he invaded Egypt to gain control of the Suez Canal; and a month later carried the war to the Balkan peninsula with an unprovoked attack on Greece. The Italian armies were held back and their victories forestalled until, in March 1941, the German High Command came to the aid of its Axis partner. Crack German troops marched on the Balkans. Yugoslavia was overrun in a few weeks and the Greeks, although aided by a small Commonwealth force, were soon defeated. The *Afrika Korps*, under Field Marshal Erwin Rommel, was sent to Libya and the Germans drove the British back into Egypt with heavy losses.

Then, on June 22, 1941, Germany invaded Russia. On that day Hitler's armies turned on the Soviet Union with a massive and brutal assault. Altogether, Hitler sent in almost three million troops supported by thousands of tanks and airplanes to destroy his former ally. The German armies scored spectacular victories in an offensive which took them to within sight of Moscow. However, the Russians fought hard, and they were aided by the vastness of their country and the bitter cold and blizzards of winter. Despite the initial successes, the German armies were halted in December 1941.

On the other side of the globe, war clouds were also gathering as Japan, too, embarked on a path of conquest. On December 7, 1941 the Japanese, without warning, attacked the American fleet in Pearl Harbor in the Hawaiian Islands. The United States declared war on Japan and Germany and the might of the United States was now added to the Allied cause.

*Canadian contingent in Hong Kong. (Public Archives Canada C-49744)*

## The Defence of Hong Kong

It was against Japan in the defence of Hong Kong that Canadian soldiers were first committed to battle during the Second World War.

As tension in the Pacific grew, the vulnerability of the outpost of Hong Kong became more and more apparent. It was recognized that in the event of a war with Japan, it could neither be held nor relieved. Hong Kong would be considered an outpost to be held as long as possible, but without further reinforcement. This decision was reversed late in 1941 when it was argued that reinforcement would serve as a deterrent to hostile action by Japan, and also have an important moral effect throughout the Far East. Accordingly, Canada was asked to provide one or two battalions for the purpose.

The Royal Rifles of Canada and The Winnipeg Grenadiers, under the command of Brigadier J.K. Lawson, sailed from Vancouver on October 27, 1941.

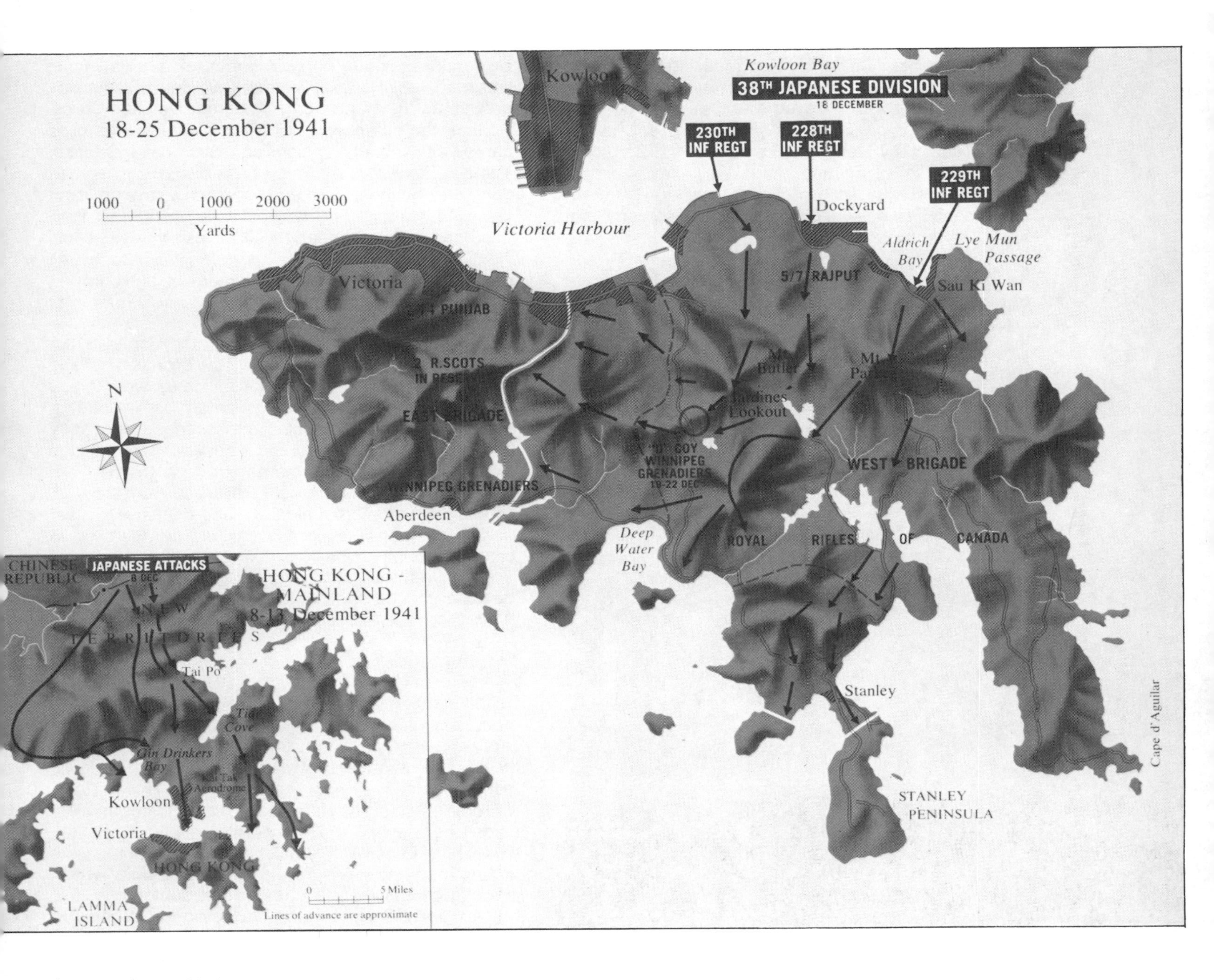


Japanese advances (black arrows).
British positions, 19 December (broken lines).
British positions, 25 December (white lines).

These Canadian units had not received training as front-line troops, but war with Japan was not considered imminent and it was believed that they were going to Hong Kong for garrison duty. Tragically, only a few weeks later, they were to become the first Canadian units to fight in the Second World War, when in almost simultaneous attacks on Pearl Harbor, Northern Malaya, the Philippines, Guam, Wake Island and Hong Kong, Japan brought war to the Pacific.

The Crown Colony of Hong Kong consisted of Hong Kong Island and the adjacent mainland areas of Kowloon and the "New Territories". In 1941 the Japanese were in control of much of the area north of the New Territories-China border.

For the defence of the colony Major-General C.M. Maltby, commander of Hong Kong, had only a total force of some 14,000 which included naval and air force personnel and many non-combatants. His military force was made up of British, Canadian and Indian regiments as well as the Hong Kong Volunteer Defence Corps. Further, the defence of Hong Kong would have to be carried out without any significant air or naval defence. The Kai Tak Royal Air Force base on Hong Kong had only five airplanes, flown and serviced by seven officers and 108 airmen. The nearest fully-operational RAF base was in Malaya, nearly 1,400 miles away. Nor could Hong Kong offer much in the way of naval defence. All major naval vessels had been withdrawn, and only one destroyer, several gunboats and a flotilla of motor torpedo boats remained.

*The Repulse Bay Hotel, where the Royal Rifles fought from December 20 to 22, 1941. (Public Archives Canada PA-114819)*

The Japanese attack, however, did not take the garrison by surprise, for in spite of the optimism nothing was left to chance. The defence forces were made ready. Three battalions would man a ten-mile line (the Gin Drinkers' Line) stretching across rugged hill country and pocked by trenches and pillboxes. This position would protect Kowloon, the harbour and the northern part of Hong Kong Island from artillery fire from the land, unless the enemy mounted a major offensive. In that event, the mainland positions would provide time to complete demolitions, clear vital supplies, and sink shipping in the harbour. The remaining forces were to be concentrated on the island and prepared to defend against any Japanese attack from the sea.

## The Invasion

On the morning of December 7*, the entire garrison was ordered to war stations. At 8 a.m. December 8, Japanese aircraft reached their first Hong Kong target, the Kai Tak airport, and either destroyed or damaged all the RAF aircraft.

From first light the Japanese ground forces moved across the frontier of the New Territories where they met the forward forces of the Mainland Brigade. In the face of strong enemy pressure these advance units, while inflicting casualties and carrying out demolitions, fell back to the Gin Drinkers' Line. On the night of December 9-10, the Japanese captured the key position of Shing Mun Redoubt. In the darkness, "D" Company of The

*December 6 in North America. Dates in this section are those for Hong Kong.

Winnipeg Grenadiers was dispatched to the mainland to strengthen this sector. This company saw some action on the 11th, becoming the first sub-unit of the Canadian Army to fight in the Second World War. Further Japanese attacks made the Gin Drinkers' Line untenable and the troops were ordered to withdraw to their defence positions on the island.

On December 13, a Japanese demand for the surrender of Hong Kong was brusquely rejected.

## Defence of the Island

On the island the defending forces were reorganized into a West Brigade, commanded by Brigadier J.K. Lawson, and including The Winnipeg Grenadiers; and an East Brigade, under Brigadier C. Wallis, including The Royal Rifles of Canada. The Canadian battalions were thus separated and one was removed from Lawson's command. Both Canadian units were deployed to defend the southern beaches where General Maltby feared a seaborne attack.

To reduce the defenders' resistance, the enemy directed heavy artillery fire at the island, mounted destructive air raids, and systematically shelled the pillboxes along the north shore. Then, on December 17, the Japanese repeated their demand for surrender. Once again it was summarily refused, but the fall of the Colony was now only a matter of time. With the sinking of two British capital ships off Malaya, and the crippling of the United States' fleet at Pearl Harbor, there was no hope of relief. The defenders awaited the assault in complete isolation.

The invasion of the island came with the darkness on December 18. The enemy began crossing the strait at its narrowest part, Lye Mun Passage, in assault boats, landing craft and small boats towed by ferry steamers. They came ashore in large numbers on a front of about two miles in the face of machine-gun fire from the defenders who manned the pillboxes. From the shore the Japanese forces fanned out to the east and west and advanced up the valleys leading to high ground. Here, the Royal Rifles came into action against the invasion force. The strength of that force was overwhelming, and by morning of the 19th the Japanese had reached as far as the Wong Nei Chong and Tai Tam Gaps.

*Group of Canadian and British prisoners awaiting liberation by landing party from HMCS Prince Robert. (Public Archives Canada PA-114811)*

The battle-toughened Japanese were backed by a heavy arsenal of artillery, total control of the air, and the assurance of knowing that reinforcements were readily available. In contrast, the defending Allies, with only non-combative garrison experience, were exhausted from the continual bombardment, many days of continuous action and were without hope of relief. That it took the Japanese until Christmas Day to force surrender is a testimony to brave resistance.

With the enemy well established on the high ground, the East Brigade was ordered to withdraw southwards towards Stanley Peninsula where, it was hoped, a concentrated defence could be made. By nightfall on the 19th, a new line was established, but unfortunately, some of the critically needed pieces of mobile artillery were destroyed during the withdrawal. Still worse, the East and West Brigades were separated when the Japanese penetrated the defence and reached the sea at Repulse Bay.

The East Brigade was now seriously reduced in numbers for the Indian Rajput Battalion had been decimated in their courageous defence against the landing invasion. The Royal Rifles were in exhausted condition. Yet, during the next three days, these men valiantly strove to drive northward over rugged, mountainous terrain to link up with the West Brigade, and to clear the Japanese from the high peaks.

The attempts to drive northward had to be abandoned, and on December 23 the depleted and battle-weary troops were ordered to withdraw to Stanley Peninsula. Here, as the Japanese mounted increasing pressure, The Royal Rifles, on Christmas Day, delivered a final counter-attack. The attack broke down with heavy casualties.

Meanwhile, The Winnipeg Grenadiers had also been thrust swiftly into action with the West Brigade. As the enemy landed on the evening of December 18, two platoons of the battalion were deployed to seize the hills known as Jardine's Lookout and Mount Butler where they engaged in intense fighting. Heavily outnumbered, they were cut to pieces and both platoon commanders were killed. Further attempts to clear the hill positions also failed. On December 19 Brigadier Lawson lost his life as he valiantly determined to "fight it out" when the enemy surrounded his West Brigade headquarters.

One company of the Grenadiers, meanwhile, held on firmly to its position near Wong Nei Chong Gap, and thus denied the Japanese the use of the one main north-south road across the island. The Grenadiers inflicted severe casualties on the enemy and delayed the Japanese advance for three days. The Canadians held out until the morning of December 22 when ammunition, food and water were exhausted and the Japanese had blown in the steel shutters of the company shelters. Only then did they surrender.

The final phase of the fighting on the western part of the island consisted of a valiant attempt to maintain a continuous line from Victoria Harbour to the south shore. It was to no avail. The Allied positions were overrun and the defenders were forced to surrender.

At 3:15 p.m. Christmas Day, General Maltby advised the Governor that further resistance was futile. After seventeen and a half days of fighting the defence of Hong Kong was over.

### Aftermath

The fighting in Hong Kong brought a tragic toll to Canada: 290 killed, and 493 wounded. Death did not end with the surrender. The Canadians were imprisoned in Hong Kong and Japan in the foulest of conditions and had to endure brutal treatment and near-starvation. Many did not survive. In all, more than 550 of the 1,975 Canadians who sailed from Vancouver in October 1941 never returned.

## The First Canadian Army

The Canadian forces in England had grown steadily since the troops of the 1st Canadian Infantry Division landed in December 1939. The 2nd Canadian Infantry Division arrived in the summer and autumn of 1940, and the 3rd Canadian Infantry Division was sent overseas in 1941. These first units were primarily infantry, but were followed by two armoured divisions and two armoured brigades. These additional forces necessitated changes in organization. Thus, early in 1942, the First Canadian Army with two corps was formed under the command of the native-born Canadian, General McNaughton. He would later, in 1943, be succeeded by another Canadian, General H.D.G. Crerar.

The role of the First Canadian Army changed as well. After the first few months of intense preparation for an expected imminent invasion which fortunately did not come, the troops were forced to settle down to a long period of waiting. They waited and trained for the time when they could spearhead an Allied attack to regain the Continent. There were only occasional breaks in the weary routine. A small Canadian-British expedition was sent to Spitzbergen beyond the Arctic Circle; and Canadian tunnellers went to Gibraltar to strengthen defences there. In April 1942 a small, unsuccessful raid was attempted near Boulogne, France.

The first major contact with the enemy had come on the other side of the world in Hong Kong and had ended in disaster. The next major contact was also to have disastrous results as the Canadians formed the main assault force for the raid on Dieppe.

# The Raid on Dieppe

The Allied situation in the spring of 1942 was grim. The Germans had penetrated deep into Russia, the British Eighth Army in North Africa had been forced back into Egypt, and in Western Europe the Allied forces faced the Germans across the English Channel.

Since the time was not yet ripe for mounting Operation *Overlord*, the full-scale invasion of Western Europe, it was decided to mount a major raid on the French port of Dieppe. Designed to foster German fears of an attack in the west and compel them to strengthen their Channel defences at the expense of other areas of operation, the raid would also provide the opportunity to test new techniques and equipment, and be the means to gain the experience and knowledge necessary for planning the great amphibious assault.

Accordingly, plans were drawn up for a large-scale raid to take place in July 1942. Canadians would provide the main assault force, and by May 20 troops of the 2nd Canadian Infantry Division were on the Isle of Wight to begin intensive training in amphibious operations. When unfavourable weather in July prevented the raid from being launched, it was urged that it should be abandoned. However, over the next few weeks the operation was revived and given the code name *Jubilee*. The port of Dieppe on the French coast remained the objective.

The attack upon Dieppe took place on August 19, 1942. The troops involved totalled 6,000 of whom 5,000 were Canadians, the remainder being British Commandos and 50 American Rangers. The raid was supported by four destroyers of the Royal Navy and 74 Allied air squadrons (eight belonging to the RCAF). Major-General J.H. Roberts, the Commander of the 2nd Canadian Division, was appointed Military Force Commander, with Captain J. Hughes-Hallett, R.N., as Naval Force Commander and Air Vice-Marshal T.L. Leigh-Mallory as Air Force Commander.

The plan called for attacks at five different points on a front of roughly ten miles. Four simultaneous flank

*Looking north from Puys Beach, 1972. (National Film Board photo by J. Ough)*

attacks were to go in at dawn, followed half an hour later by the main attack on the town of Dieppe itself. Canadians would form the force for the frontal attack on Dieppe and would also go in at gaps in the cliffs at Puys two-and-one-half miles to the west, and at Pourville to the east. British commandos were assigned to destroy the coastal batteries at Berneval on the eastern flank, and at Varengeville in the west.

As the assault force approached the coast of France in the early hours of August 19, the landing craft of the eastern sector unexpectedly encountered a small German convoy. The noise of the sharp violent sea fight which followed alerted coastal defences, particularly at Berneval and Puys, leaving little chance of success in the eastern sector. The craft carrying the No. 3 Commando were scattered and most of the unit never reached shore. Those that did were quickly overwhelmed. One small party of 20 commandos managed to get within 200 yards of the battery and by accurate sniping prevented the guns from firing on the assault ships for two-and-one-half vital hours before they were safely evacuated.

At Puys the Royal Regiment of Canada shared in this ill-fortune. The beach here was extremely narrow and was commanded by lofty cliffs where German soldiers were stategically placed. Success depended on surprise and darkness, neither of which prevailed. The naval landing was delayed, and as the Royals leapt ashore in the growing light they met violent machine-gun fire from the fully-alerted German soldiers. Only a few men were able to get over the heavily wired sea-wall at the head of the beach; those that did were unable to get back. The rest of the troops together with three platoons of reinforcements from the Black Watch (Royal Highland Regiment) of Canada were pinned on the beach by mortar and machine-gun fire, where they were later forced to surrender. Evacuation was impossible in the face of German fire. Of those that landed 200 were killed and 20 later died of their wounds; the rest were taken prisoner — the heaviest toll suffered by a Canadian battalion in a single day throughout the entire war. Failure to clear the eastern headland enabled the Germans to enfilade the Dieppe beaches and nullify the main frontal attack.

In the western sector, meanwhile, some degree of surprise was achieved. In contrast to the misfortune encountered by No. 3 on the east flank, the No. 4 Commando operation was completely successful. According to plan, the Commando went in, successfully destroyed the guns in the battery near Varengeville, and then withdrew safely.

At Pourville, the Canadians were fortunate enough to achieve some degree of surprise and initial opposition was light as the South Saskatchewan Regiment and Cameron Highlanders of Canada assaulted the beaches. Resistance stiffened as they crossed the River Scie and pushed towards Dieppe proper. Heavy fighting then developed and the Saskatchewans, and the Camerons who supported them, were stopped well short of the town. The main force of the Camerons, meanwhile, pushed on towards their objective, an inland airfield, and advanced some two miles before they too were forced to halt.

*Convoy carrying Canadian troops en route to Dieppe. (Public Archives Canada 08240)*

The Canadians lost heavily during the withdrawal. The enemy was able to bring fierce fire to bear upon the beach from dominating positions east of Pourville, and also from the high ground to the west. However, the landing craft came in through the storm of fire with self-sacrificing gallantry and, supported by a courageous rearguard, the greater part of both units successfully re-embarked though many of the men

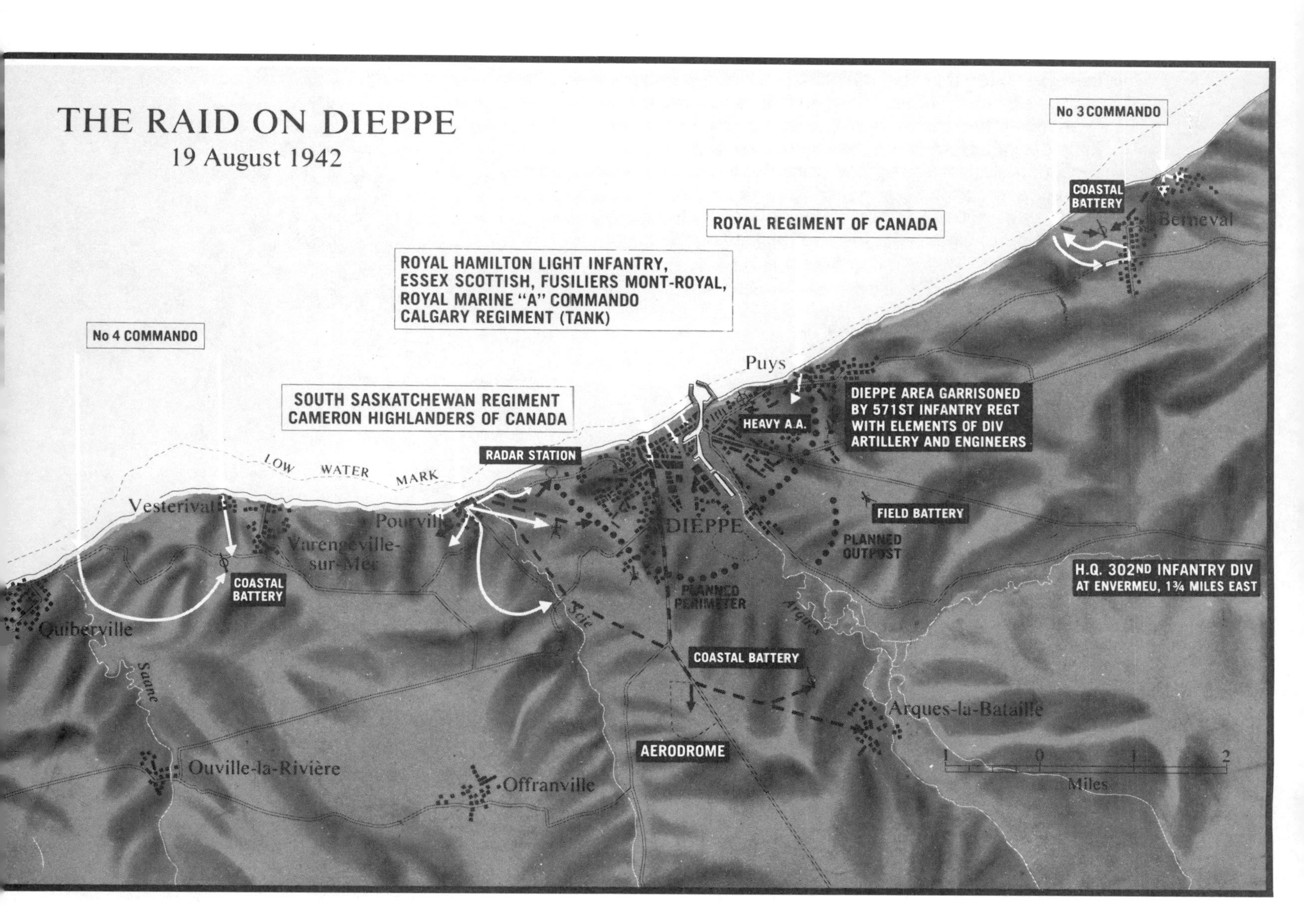
THE RAID ON DIEPPE
19 August 1942
No 3 COMMANDO
COASTAL BATTERY
Berneval
ROYAL REGIMENT OF CANADA
ROYAL HAMILTON LIGHT INFANTRY,
ESSEX SCOTTISH, FUSILIERS MONT-ROYAL,
ROYAL MARINE "A" COMMANDO
CALGARY REGIMENT (TANK)
No 4 COMMANDO
Puys
DIEPPE AREA GARRISONED
BY 571ST INFANTRY REGT
WITH ELEMENTS OF DIV
ARTILLERY AND ENGINEERS
SOUTH SASKATCHEWAN REGIMENT
CAMERON HIGHLANDERS OF CANADA
HEAVY A.A.
RADAR STATION
LOW WATER MARK
Vesterival
Pourville
DIEPPE
FIELD BATTERY
Varengeville-sur-Mer
PLANNED OUTPOST
COASTAL BATTERY
H.Q. 302ND INFANTRY DIV
AT ENVERMEU, 1¾ MILES EAST
PLANNED PERIMETER
Quiberville
Scie
Arques
Saane
COASTAL BATTERY
Arques-la-Bataille
AERODROME
1
0
1
2
Miles
Ouville-la-Rivière
Offranville

were wounded. The rearguard itself could not be brought off and, when ammunition ran out and further evacuation was impossible, surrendered.

The main attack was to be made across the shingle beach in front of Dieppe and timed to take place a half-hour later than on the flanks. German soldiers, concealed in cliff-top positions and in buildings overlooking the promenade, waited. As the men of the Essex Scottish Regiment assaulted the open eastern section, the enemy swept the beach with machine-gun fire. All attempts to breach the sea-wall were beaten back with grievous loss. When one small party managed to infiltrate the town, a misleading message was received aboard the headquarters ship which suggested that the Essex Scottish were making headway. Thus, the reserve battalion *Les Fusiliers Mont-Royal* were sent in. They, like their comrades who had landed earlier, found themselves pinned down on the beach and exposed to intense enemy fire.

The Royal Hamilton Light Infantry landed at the west end of the promenade opposite a large isolated casino. They were able to clear this strongly-held building and the nearby pillboxes and some men of the battalion got across the bullet-swept boulevard and into the town, where they were engaged in vicious street fighting.

Misfortune also attended the landing of the tanks of the Calgary Regiment. Timed to follow an air and naval bombardment they were put ashore ten to fifteen minutes late, thus leaving the infantry without support during the first critical minutes of the attack. Then as the tanks came ashore, they met an inferno of fire and were brought to a halt — stopped not only by enemy guns, but also immobilized by the shingle banks and sea-wall. Those that negotiated the sea-wall found their way blocked by concrete obstacles which sealed off the narrow streets. Nevertheless, the immobilized tanks continued to fight, supporting the infantry and contributing greatly to the withdrawal of many of them; the tank crews became prisoners or died in battle.

The last troops to land were part of the Royal Marine "A" Commando, who shared the terrible fate of other Canadians. They suffered heavy losses without being able to accomplish their mission.

The raid also produced a tremendous air battle. While the Allied air forces were able to provide protection from the *Luftwaffe* for the ships off Dieppe, the cost was high.

*A Churchill tank of the Calgary Regiment at Dieppe. (Public Archives Canada C-29878)*

*Scout car abandoned during the raid on Dieppe. (Public Archives Canada C-29861)*

The Royal Air Force lost 106 aircraft — more than in any other day of the war. The RCAF loss was 13 aircraft.

Conflicting assessments of the value of the raid continue to be presented. Some claim that it was a useless slaughter; others maintain that it was necessary to the successful invasion of the continent two years later on D-Day. The Dieppe raid was closely studied by those responsible for planning future operations against the enemy-held coast of France. Out of it came improvements in technique, fire support and tactics that reduced D-Day casualties to an unexpected minimum. The men who perished at Dieppe were instrumental in saving countless lives on the 6th of June, 1944. While there can be no doubt that valuable lessons were learned, a frightful price was paid in those morning hours of August 19, 1942. Of the 4,963 Canadians who embarked for the operation only 2,210 returned to England, and many of these were wounded. There were 3,367 casualties, including 1,946 prisoners of war; 907 Canadians lost their lives.

*A squadron of Canadian Spitfires leaving a Canadian fighter station. (DND photo PL-22146)*

## Conquest of Sicily

By the spring of 1943, Canadian sailors and airmen had gained a considerable amount of battle experience, but the Canadian Army, stationed in Great Britain, had not been involved in any large-scale land operations. The need for battle experience and the growing public demand for action led to the decision to include the 1st Canadian Infantry Division and the 1st Canadian Army Tank Brigade in the assault on Sicily. This was to be the prelude to the invasion of mainland Europe.

The invasion was to be carried out by the Seventh U.S. Army under Lieut.-General George S. Patton, and the Eighth British Army under General Sir Bernard L. Montgomery. The Canadians were to be part of the British Army.

Under the command of Major-General G.G. Simonds, the Canadian troops sailed from Great Britain in late June. En route, 58 Canadians were drowned when three ships of the assault convoy were sunk by enemy submarines, and 500 vehicles and a number of guns were lost. Late on the night of July 9, the Canadians joined the invasion armada of nearly 3,000 Allied ships and landing craft.

Just after dawn on July 10, the assault (preceded by airborne landings) went in. The Canadians, forming the left flank of the five British landings that spread over 40 miles of shoreline, went ashore near Pachino close to the southern tip of the island. The Americans, meanwhile, established three more beachheads over another 40 miles of coast. In taking Sicily the Allies aimed, as well, to trap the German and Italian armies and prevent their retreat across the Strait of Messina.

From the Pachino beaches, where resistance from Italian coastal troops was light, the Canadians pushed forward through choking dust, over tortuous mine-filled roads. At first all went well, but resistance stiffened as the Canadians were engaged increasingly by deter-

Troops of Princess Patricia's Canadian Light Infantry entering Agira, July 1943. (Public Archives Canada 22205)

mined German troops who fought tough delaying actions from the advantage of towering villages and almost impregnable hill positions. On July 15, just outside the village of Grammichele, they came under fire from Germans of the Hermann Goering Division. The village was taken by the men of the 1st Infantry Brigade and tanks of the Three Rivers Regiment.

Piazza Armenia and Valguarnera fell on successive days, after which the Canadians were directed against the hill towns of Leonforte and Assoro. The defensive advantages of the mountainous country led to bitter fighting, but both places fell to the Canadian assault. Even stiffer fighting was required as the Germans made a determined stand on the route to Agira. Three successive attacks were beaten back before a fresh brigade, with overwhelming artillery and air support, succeeded in dislodging the enemy. On July 28, after five days of hard fighting at heavy cost, Agira was taken.

Meanwhile, the Americans were clearing the western part of the island and the British were pressing up the east coast toward Catania. These operations pushed the Germans into a small area around the base of Mount Etna where Catenanuova and Regalbuto were captured by the Canadians.

The final Canadian task was to break through the main enemy position and capture Adrano. Here again, the Canadians faced not only human enemies, but physical barriers as well. The rugged, almost trackless country meant that mule trains were required to bring forward mortars, guns, ammunition and other supplies. Nevertheless, literally fighting from mountain rock to mountain rock, the Canadians advanced steadily against the enemy positions. With the approaches to Adrano cleared, the way was prepared for the closing of the Sicilian campaign. The Canadians, withdrawn into reserve on August 7, did not take part in this final phase.

*Detachment of RCE clearing a road at Regalbuto while Sherman tanks of the 1st Canadian Army Tank Brigade go through, August 1943. (Public Archives Canada PA-116849)*

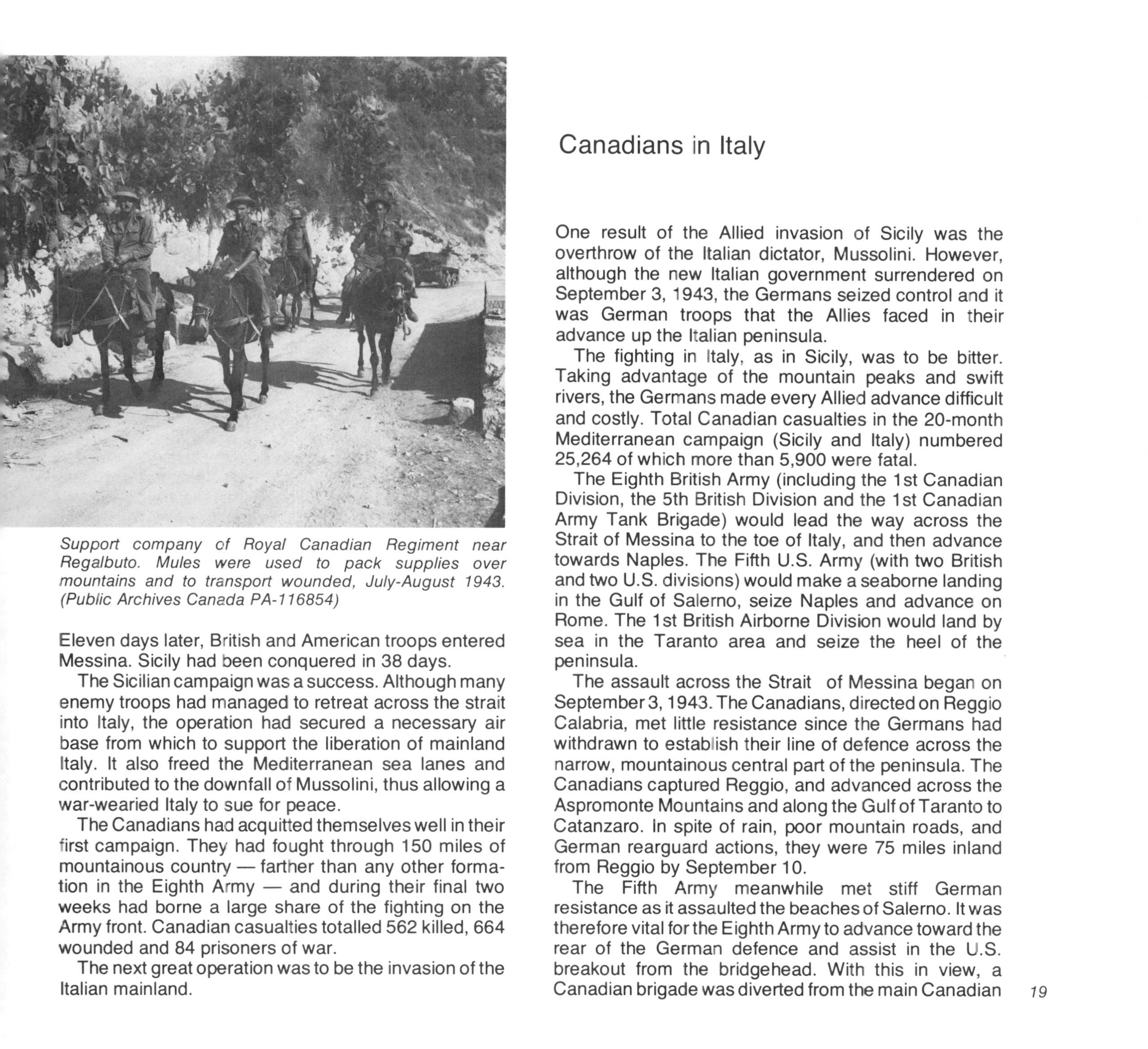

*Support company of Royal Canadian Regiment near Regalbuto. Mules were used to pack supplies over mountains and to transport wounded, July-August 1943. (Public Archives Canada PA-116854)*

Eleven days later, British and American troops entered Messina. Sicily had been conquered in 38 days.

The Sicilian campaign was a success. Although many enemy troops had managed to retreat across the strait into Italy, the operation had secured a necessary air base from which to support the liberation of mainland Italy. It also freed the Mediterranean sea lanes and contributed to the downfall of Mussolini, thus allowing a war-wearied Italy to sue for peace.

The Canadians had acquitted themselves well in their first campaign. They had fought through 150 miles of mountainous country — farther than any other formation in the Eighth Army — and during their final two weeks had borne a large share of the fighting on the Army front. Canadian casualties totalled 562 killed, 664 wounded and 84 prisoners of war.

The next great operation was to be the invasion of the Italian mainland.

## Canadians in Italy

One result of the Allied invasion of Sicily was the overthrow of the Italian dictator, Mussolini. However, although the new Italian government surrendered on September 3, 1943, the Germans seized control and it was German troops that the Allies faced in their advance up the Italian peninsula.

The fighting in Italy, as in Sicily, was to be bitter. Taking advantage of the mountain peaks and swift rivers, the Germans made every Allied advance difficult and costly. Total Canadian casualties in the 20-month Mediterranean campaign (Sicily and Italy) numbered 25,264 of which more than 5,900 were fatal.

The Eighth British Army (including the 1st Canadian Division, the 5th British Division and the 1st Canadian Army Tank Brigade) would lead the way across the Strait of Messina to the toe of Italy, and then advance towards Naples. The Fifth U.S. Army (with two British and two U.S. divisions) would make a seaborne landing in the Gulf of Salerno, seize Naples and advance on Rome. The 1st British Airborne Division would land by sea in the Taranto area and seize the heel of the peninsula.

The assault across the Strait of Messina began on September 3, 1943. The Canadians, directed on Reggio Calabria, met little resistance since the Germans had withdrawn to establish their line of defence across the narrow, mountainous central part of the peninsula. The Canadians captured Reggio, and advanced across the Aspromonte Mountains and along the Gulf of Taranto to Catanzaro. In spite of rain, poor mountain roads, and German rearguard actions, they were 75 miles inland from Reggio by September 10.

The Fifth Army meanwhile met stiff German resistance as it assaulted the beaches of Salerno. It was therefore vital for the Eighth Army to advance toward the rear of the German defence and assist in the U.S. breakout from the bridgehead. With this in view, a Canadian brigade was diverted from the main Canadian

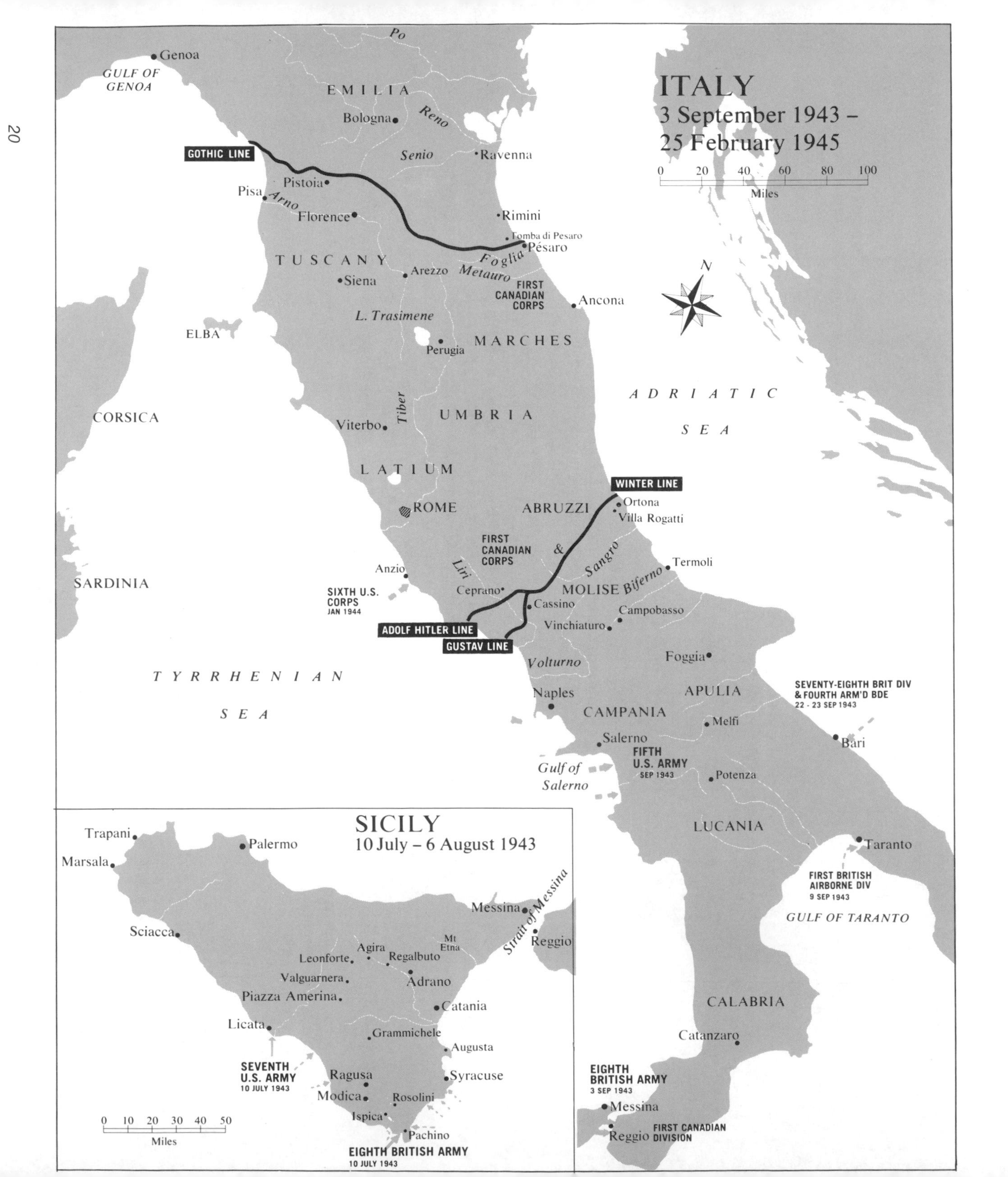
ITALY
3 September 1943 –
25 February 1945
0 20 40 60 80 100
Miles
Po
Genoa
GULF OF GENOA
EMILIA
Bologna
Reno
Senio
Ravenna
GOTHIC LINE
Pistoia
Pisa
Arno
Florence
Rimini
Tomba di Pesaro
Pésaro
Foglia
Metauro
TUSCANY
Siena
Arezzo
FIRST CANADIAN CORPS
Ancona
N
L. Trasimene
ELBA
Perugia
MARCHES
ADRIATIC
SEA
CORSICA
Tiber
UMBRIA
Viterbo
LATIUM
WINTER LINE
Ortona
Villa Rogatti
ROME
ABRUZZI
FIRST CANADIAN CORPS
&
Sangro
Termoli
Anzio
Liri
SARDINIA
SIXTH U.S. CORPS
JAN 1944
Ceprano
MOLISE
Biferno
Cassino
Campobasso
Vinchiaturo
ADOLF HITLER LINE
GUSTAV LINE
Volturno
Foggia
TYRRHENIAN
SEA
Naples
APULIA
SEVENTY-EIGHTH BRIT DIV
& FOURTH ARM'D BDE
22 - 23 SEP 1943
CAMPANIA
Melfi
Salerno
Bari
FIFTH
U.S. ARMY
SEP 1943
Gulf of Salerno
Potenza
LUCANIA
Taranto
FIRST BRITISH
AIRBORNE DIV
9 SEP 1943
GULF OF TARANTO
CALABRIA
Catanzaro
EIGHTH
BRITISH ARMY
3 SEP 1943
Messina
Reggio
FIRST CANADIAN
DIVISION
SICILY
10 July – 6 August 1943
Trapani
Palermo
Marsala
Messina
Strait of Messina
Sciacca
Reggio
Mt Etna
Agira
Leonforte
Regalbuto
Valguarnera
Adrano
Piazza Amerina
Catania
Licata
Grammichele
Augusta
SEVENTH
U.S. ARMY
10 JULY 1943
Ragusa
Syracuse
Modica
Rosolini
Ispica
Pachino
0 10 20 30 40 50
Miles
EIGHTH BRITISH ARMY
10 JULY 1943

line of advance to seize Potenza, an important road centre east of Salerno. Potenza was taken on September 20. The breakout was accomplished, and on October 1, the Fifth Army entered Naples. In the meantime, the 1st Canadian Infantry Brigade proceeded eastward, joined the Airborne Division in the Taranto region, and then pushed boldly inland to the north and northwest. The 5th British Corps seized the Foggia airfield.

By the end of September, the German hold on northern and central Italy was still unshaken, but the Allies had overrun a vast and valuable tract of southern Italy, and their armies stood on a line running across Italy from sea to sea. The next objective was Rome.

As the Allies drove north from Naples and Foggia, the Canadians found themselves pushing into the central mountain range. Now the enemy resisted with full force. On October 1 at Motta, the Canadians fought their first battle with Germans in Italy, and there followed a series of brief, but bloody actions. On October 14 the Canadians took Campobasso, the next day they took Vinchiaturo, and the advance continued across the Biferno River. During the same period, one unit of the Canadian Army Tank Brigade played a distinguished role on the Adriatic coast, where they supported a British assault at Termoli and its advance to the Sangro River.

In the 63 days since landing, the Eighth Army had covered 450 miles. However, the "pursuit from Reggio" was now over. The Germans, their strength now almost equal to that of the Allies and having the advantage of defence, meant to make a stand from the coast south of Cassino on the Naples-Rome highway, to Ortona on the Adriatic shore. The winning of Rome would not be easy.

Meanwhile, the decision had been taken to strengthen the Canadian forces in the Mediterranean. On November 5 the Headquarters of the 1st Canadian Corps under Lieut.-General H.D.G. Crerar; and the 5th Canadian Armoured Division arrived. General G.G. Simonds took over command of this division and was replaced in the 1st Division by Major-General C. Vokes. General McNaughton, who had objected to the division of the Canadian army retired soon afterwards.

As the first snow of winter began to fall, the Eighth Army struck hard at the German line along the Sangro River on the Adriatic Coast. The aim was to break the stalemate that had developed and to relieve the pressure on the Fifth Army in the drive to take Rome. The task was not easy for the Adriatic shoreline was cut by a series of deep river valleys. As the British and Canadians succeeded in driving the Germans from the Sangro, they were faced with the same task a few miles further north. Here, along the line of the Moro River, occurred some of the bitterest fighting of the war. The Germans counter-attacked repeatedly and often the fighting was hand-to-hand as the Canadians edged forward to Ortona on the coast.

The mediaeval town of Ortona, with its castle and stone buildings, was situated on a ledge overlooking the Adriatic. Its steep, rubble-filled streets limited the use of tanks and artillery and thus made this an infantryman's struggle. During several days of vicious street fighting the Canadians smashed their way through walls and buildings — "mouseholing" they called it. This was Christmas 1943. Meanwhile, a subsidiary attack had been launched to the northwest and the Germans, in danger of being cut off, withdrew from Ortona. The city officially fell on December 28.

Further offensives ground to a halt during the atrocious winter weather. During the lull, Simonds left for England and Major-General E.L.M. Burns succeeded him. In March Burns took over the 1st Canadian Corps from Lieut.-General Crerar, who returned to command the First Canadian Army in England. The 5th Canadian Armoured Division was taken over by Maj.-General B.M. Hoffmeister.

By now the Canadian Army in Italy had reached its peak theatre strength of nearly 76,000. Total casualties in the Corps had climbed to 9,934 all ranks, of which 2,119 had been fatal.

**The Battle in the Liri Valley**

In the spring of 1944 the Germans still held the line of defence north of Ortona, as well as the mighty bastion of Monte Cassino which blocked the Liri corridor to the Italian capital. Determined to maintain their hold on Rome, the Germans constructed two formidable lines of fortifications, the Gustav Line, and nine miles behind it the Adolf Hitler Line.

During April and May 1944, the Eighth Army, including the 1st Canadian Corps, was secretly moved across Italy to join the Fifth U.S. Army in the struggle for Rome. Here under the dominating peak of Cassino, the Allied armies hurled themselves against the enemy position. Tanks of the 1st Canadian Armoured Brigade (formerly 1st Canadian Army Tank Brigade) supported the Allied attack. After four days of hard fighting, the German defenses were broken from Cassino to the Tyrrhenian Sea and the enemy moved back to his second line of defence. On May 18 Polish troops took the Cassino position and the battered monastery at the summit.

On May 16 the 1st Canadian Corps received orders to advance on the Hitler Line six miles farther up the valley. Early on May 23 the attack on the Hitler Line went in. Under heavy enemy mortar and machine-gun fire, the Canadians breached the defences and the tanks of the 5th Armoured Division poured through toward the next obstacle, the Melfa River. Desperate fighting took place in the forming of a bridgehead across the Melfa. However, once the Canadians were over the river, the major fighting for the Liri valley was over. The operation developed into a pursuit as the Germans moved back quickly to avoid being trapped in the valley by the American thrust farther west. The 5th Armoured Division carried the Canadian pursuit to Ceprano where the 1st Infantry Division took over the task. On May 31, the Canadians occupied Frosinone and their campaign in this area came to an end as they went into reserve. Rome fell to the Americans on June 4. Less than 48 hours later the long awaited D-Day invasion of Northwest Europe began on the Normandy beaches. It remained essential, therefore, for the Allied forces in Italy to continue to pin down German troops.

The Canadians were now withdrawn for well-earned

*Left: Troops of Edmonton Regiment advancing down a street in Ortona, Italy, 1943. Right: Men of the Saskatoon Light Infantry aiding in the barrages in the advance beyond Ortona. (Public Archives Canada PA-116852 and PA-116845)*

rest and re-organization, except for the 1st Canadian Armoured Brigade which accompanied the British in the Allied action as the Germans moved northward to their final line of defence.

### The Road to Rimini

Autumn and winter 1944 saw the Canadians back on the Adriatic coast. Their objective, the Gothic Line, was the last major German defence line separating the Allies from the Po Valley and the great plain of Lombardy. Since northern Italy contained many factories producing vital supplies, the Germans would fight hard to prevent a break-through. They made the line formidable. Running roughly between Pisa and Pesaro, the defence line was composed of machine-gun posts, anti-tank guns, mortar-and assault-gun positions, tank turrets set in concrete, plus mines, wire obstacles and anti-tank ditches.

The Allied plan called for a surprise attack upon the east flank, followed by a swing towards Bologna. As part of the plan to deceive the Germans into believing the attack would come in the west, the 1st Canadian Division was concentrated near Florence, then secretly moved northwards to the Adriatic.

In the last week of August 1944, the entire Canadian Corps began its attack on the Gothic Line with the objective of capturing Rimini. Six rivers lay across the path of the advance. On August 25, the Canadians crossed the Metauro River but the next, the Foglia, was more formidable. Here the Germans had concentrated their defences, and it required days of bitter fighting and softening of the line by Allied air forces to reach it. On August 30, two Canadian brigades crossed the Foglia River and fought their way through the Gothic Line. On September 2 General Burns reported that "the Gothic Line is completely broken in the Adriatic Sector and the 1st Canadian Corps is advancing to the River Conca."

The announcement was premature for the enemy recovered quickly, reinforced the Adriatic defence by moving divisions from other lines and, thus, slowed the advance to Rimini to bitter, step-by-step progress. Three miles south of the Conca the forward troops came under fire from the German 1st Parachute Division, while to the west heavy fighting was developing on the Coriano Ridge. By hard fighting the Canadians captured

*Cassino, Italy, May 1944. (Public Archives Canada 32995)*

*Canadian troops advancing through Rimini, Italy, September 1944. (Public Archives Canada 41297)*

the ridge and it appeared that the Gothic Line was finally about to collapse, but this was not to be. For three more weeks the Canadians battled to take the hill position of San Fortunato which blocked the approach to the Po Valley. On September 21, the Allies entered a deserted Rimini. That same day the 1st Division was relieved by the New Zealand Division, ready with the 5th Armoured Division to sweep across the plains of Lombardy to Bologna and the Po. But the rains came. Streams turned into raging torrents, mud replaced the powdery dust and the tanks bogged down in the swamp lands of the Romagna. The Germans still resisted.

September 1944 waned and with it the hopes of quickly advancing into the valley of the Po. On October 11 the 1st Canadian Infantry Division returned to the line and the 5th Division went into corps reserve. For three weeks the Canadians fought in the water-logged Romagna. The formidable defences of the Savio River were breached, but the Germans counter-attacked to try to throw the Canadians back. Meanwhile, the Americans were making progress to Bologna, and to halt their advance the Germans took two crack divisions from the Adriatic front. This allowed the Canadians to move up to the banks of the Ronco, some six miles farther on.

The Canadian Corps was now withdrawn into Army Reserve where they could recuperate from the ten weeks of continuous fighting and train for the battles which lay ahead. The 1st Armoured Brigade, meanwhile, continued to operate with the Americans and British in the area north of Florence. They would end their campaign in Italy in the snow-covered peaks in February 1945.

Changes in command occurred before the Corps returned to the line. On November 5, Lieut.-General Charles Foulkes succeeded Lieut.-General Burns as commander of the 1st Canadian Corps, and Major-General Vokes left for Holland to exchange appointments with Major-General H.W. Foster.

The Canadians returned to battle on December 1 as the Eighth Army made one last attempt to break through into the Lombardy Plain. In a bloody month of river crossings which resulted in extremely heavy casualties, they fought through to the Senio River. Here the Germans, desperate in their resistance, drew reinforcements from their western flank and, aided by the

*Large infantry landing craft off the stern of HMCS Prince David. D-Day. (Public Archives Canada PD-387)*

weather and topography, stopped the Eighth Army. In January 1945 the Senio became stabilized as the winter line, and in appalling weather both sides employed minimum troops as they observed each other from concealed positions.

The Italian campaign continued into the spring of 1945, but the Canadians did not participate in the final victory. In February 1945 the 1st Canadian Corps began the move to Northwest Europe to be re-united with the First Canadian Army. There they would join in the drive into Germany and Holland and see the war in Europe to its conclusion.

# The Landings in Normandy

On June 6, 1944, now known to history as D-Day, Operation *Overlord*, the long-awaited invasion of Northwest Europe, began with Allied landings on the coast of Normandy. The task was formidable — for the Germans had turned the coastline into a continuous fortress with guns, pillboxes, wire, mines and beach obstacles — and on it depended the outcome of the war.

In preparation for the invasion, Americans, British and Canadians underwent months of special training: supplies were amassed in southern England; engineers planned an under-water pipeline to France; and prefabricated harbours were assembled. Ground, sea and air forces rehearsed endlessly to ensure perfect timing and co-operation.

*Unloading operations off the beach-head of Normandy, June 6, 1944. (Public Archives Canada 33962)*

*Landing — 1st Hussars, Royal Winnipeg Rifles, Regina Rifles and Canadian Scottish Regiment. D-Day. (Public Archives Canada 33952)*

Following an all-night bombardment of the assault areas, the Allies attacked "Fortress Europe" on a five-division front, and troops from three airborne divisions descended by parachute and glider on the flanks of the invasion area. All three Canadian services shared in the assault. One of the seaborne formations was the 3rd Canadian Infantry Division, supported by the 2nd Canadian Armoured Brigade and troops attached from other arms and services of the Canadian Army. Forming part of the British 6th Airborne Division, which dropped on the eastern flank of the bridgehead was the 1st Canadian Parachute Battalion. The crossing of the English Channel was made through lanes that minesweepers of the Royal Canadian Navy helped to clear; Canadian naval guns joined in hammering the enemy's beach defences; and some of the 3rd Division's units were carried in Canadian landing ships and put ashore by Canadian assault landing craft. In the skies the Royal Canadian Air Force made its

*Canadian M-10 self-propelled anti-tank gun de-waterproofing. D-Day. (Public Archives Canada 33966)*

important contribution as bombers attacked German batteries, and Canadian fighter squadrons assailed targets further inland.

Two armies carried out the operation. On the right, or western half, extending from the base of the Cotentin Peninsula to a point northwest of Bayeux, the First United States Army attacked on the beaches "Utah" and "Omaha". On the left, in a sector reaching eastward to the mouth of the River Orne, the Second British Army assaulted the beaches of "Gold", "Juno" and "Sword".

The Canadians, under Major-General R.F.L. Keller, were responsible for "Juno" in the centre of the British front. Their task was to establish a beachhead along the five miles between Courseulles and St-Aubin-sur-Mer, then push through the gap between Bayeux and Caen, and penetrate to Carpiquet airfield some eleven miles inland. It was hoped that by nightfall the two British divisions to their left and right would have taken Caen and Bayeux and the Canadians would be astride the road and railway linking the two towns.

Delayed by bad weather and rough seas the men of the 7th Brigade stormed ashore in the face of fierce opposition from enemy strongholds which had survived the bombardment, and from mined beach obstacles hidden by the rising tide. Casualties were high and the fighting intense as they captured Courseulles-sur-Mer and the inland villages of Ste-Croix-sur-Mer and Banville. By evening the brigade was consolidated on its intermediate objective near Creully.

On the 8th Brigade front, the assault engineers arrived in good time and were able to engage the enemy strongpoints. The beachhead objective was taken, and the Canadians moved inland to seize Bernières. Beyond Bernières progress was slower and Bény-sur-Mer on the main road to Caen was not taken until evening.

The 9th Brigade units landed shortly before noon, and moved from Bernières through Bény to the vicinity of Villons-les-Buissons, less than four miles from Caen. Here machine-gun fire held up the advance and they halted just short of Carpiquet airfield, the final divisional objective.

By the end of the day the 3rd Canadian Division was well established on its intermediate objectives, though short of the planned final D-Day objectives. On either flank, Allied progress had been similar. The 3rd British Division was within three miles of Caen, and on the right the 50th Division was only two miles from Bayeux. The 1st Canadian Parachute Battalion had dropped with the 6th Airborne Division on the left flank of the bridgehead. Although badly scattered and suffering severe losses, the Canadian "red berets" destroyed their assigned targets and wreaked havoc behind the lines. In the American zone, the assault forces at "Omaha" beach had met fierce resistance, but here, too, beachheads had been established.

It was a magnificent accomplishment, the strong Atlantic Wall had been breached, and supplies and men were pouring ashore to resume the advance on D-Day-plus-one. The Allies were back in Europe.

Approximately 14,000 Canadians landed in Normandy on D-Day. Inevitably the cost was considerable, but not nearly as high as had been feared. The Canadian assault force suffered 1,074 casualties, of which 359 were fatal.

Ahead lay more fighting — very bitter fighting in which Canadian forces would play their full part. The day of victory in Europe was still eleven months away.

*RCAF Spitfire with D-Day markings in a wheatfield in France. (DND photo PL-30299)*

## From Normandy to The Netherlands

The savage fighting in Normandy continued throughout June and July of 1944. While the Americans fought to clear the enemy from the Cotentin peninsula and capture Cherbourg, the British and Canadians experienced some of the hardest fighting imaginable against the powerful Panzer divisions in the struggle to capture the city of Caen. In the face of fierce resistance and consequent heavy losses, progress was slower than expected. More than a month elapsed before Carpiquet airfield was captured as a preliminary to the seizure of Caen. Caen was taken on July 10.

At this time the Headquarters of the 2nd Canadian Corps arrived, and in the fighting south of Caen the troops of all Canadian formations in France took part.

*Left: Canadian troops manning Bren gun on street not yet cleared of snipers, Caen, Normandy, July 1944. Right: Fusiliers Mont-Royal supported by Sherman tank during hunt for snipers, Falaise, August 1944. (Public Archives Canada 36286 and 38684)*

The first task given to the Corps was to break out of Caen across the Orne River with the double objective of enlarging the bridgehead and holding down German troops to assist the American breakout in the west. The fighting, especially in the vicinity of Verrières Ridge, was tough and bloody, resulting in heavy losses for only slight territorial advances. However, the strategic gains were great. With some of Germany's best armoured formations thus engaged on the Anglo-Canadian front, the Americans were able to break out of Cherbourg and begin the encircling movement around the German forces. In the final phase of the holding strategy, the Canadians, on July 25, attacked on either side of the Caen-Falaise Road. The casualties were heavy as the powerful German forces held their ground. However, on the same day the First United States Army broke through the enemy positions near St. Lô, and the Germans began to move their armour away from the Caen sector to meet this American threat.

Meanwhile, on July 23, the Headquarters of the First Canadian Army became operational. Under the command of General Crerar, this First Canadian Army would become international in character. In addition to its Canadian divisions (the 2nd and 3rd Infantry and the 4th Armoured divisions), it had a Polish division, British corps and at various times American, Belgian and Dutch troops.

As the Americans swept round from the south enveloping the German troops in a huge pocket, General Crerar's First Canadian Army was ordered to Falaise along the line of the pocket's opening. Lieut.-General G.G. Simonds, in command of the 2nd Canadian Corps, planned the operation to take place at night using armoured personnel carriers to transport the infantry, and tanks to both spearhead and follow the assault. The attack began just before midnight August 7, preceded by heavy air bombardment, directed by red and green flares fired by the artillery. The attack achieved initial success, as the first defensive lines were overrun including the ridge at Verrières where Canadians had died in the July campaign. Then, in the face of stiff German resistance and errors in Allied bombing which inflicted casualties on their own troops, the momentum could not be maintained.

It was vital that Falaise be captured without delay to unite with the American forces moving up from the south. General Simonds ordered a second assault. Similar tactics were employed except that this time the attack took place in daylight with smoke screens replacing the cover darkness had given in the earlier phase. There was again an error in Allied bombing, but this time the assault succeeded. Falaise was taken on August 16.

Large German forces were now caught in the steadily shrinking pocket from which the only exit was the narrow gap between Falaise and Argentan. The task of closing the gap fell, in particular, to the First Canadian Army.

Fighting desperately to get out of the trap, the Germans provided Allied aircraft with easy daylight targets. Many were killed. By August 19 the gap was loosely closed, but the encircled Germans continued to counter-attack. While their losses were heavy, substantial numbers did manage to escape before the pocket was firmly sealed.

After the Allied victory in Normandy, Germany could no longer hold France. On August 25, Paris was liberated by French and American troops. The German armies, weakened, but not destroyed, had retreated to their own frontiers. Behind their West Wall defences, they prepared for a last desperate stand.

## Clearing the Coast

The First Canadian Army was now assigned the task of clearing the coastal areas and opening the channel ports for vital supplies.

On the left flank of the Allied forces, the Canadians pushed rapidly eastward through France towards Belgium. September began with the 2nd Canadian Division being welcomed to Dieppe. Boulogne, Calais, and Cap Gris Nez followed, and by the end of September the Channel coast, with the exception of Dunkirk, had been cleared and southern England freed of the harassing fire of Hitler's weapons which had been launched from these sites. Farther north, the Second British Army seized the port of Antwerp with its installations virtually intact.

Meanwhile, the British and American troops had pushed forward on a broad front and were engaged in a major struggle in southern Holland. In September, in a bold effort to cut through Holland, the Second British Army mounted an airborne attack to secure river crossings at Grave, Nijmegen and Arnhem. If successful this operation would have given the Allies control between the Rhine and Ijsselmeer (Zuiderzee), and would have severed the connection between Holland and Germany. As it fell just short of success, it became apparent that the war would continue through the winter and into the spring of 1945.

## The Battle of the Scheldt

Under the circumstances, the opening of the port of Antwerp, already occupied by Allied troops, became absolutely necessary since the main supply lines still ran back to Normandy. The task went to the First Canadian Army which came under the command of Lieut.-General Guy Simonds in place of General Crerar who was ill.

Although Antwerp was already occupied by Allied troops, it was 50 miles from the sea, and the approaches to it, including both banks of the Scheldt River, the South Beveland isthmus and peninsula, as well as the island of Walcheren which commanded the river's mouth, were controlled by the Germans. Until these areas were cleared, no ship could enter.

The plan for opening the estuary involved four main operations. The first was to clear the area north of Antwerp and close the South Beveland isthmus. The second was to clear the Breskens "pocket" behind the Leopold Canal, and the third was the reduction of the Beveland peninsula. The final phase would be the capture of Walcheren Island.

Accordingly, at the beginning of October 1944, the 2nd Canadian Infantry Division began its advance north of Antwerp to close the eastern end of the South Beveland isthmus. It made good progress to the isthmus itself where enemy paratroopers barred the way. Casualties were heavy as troops of the Canadian Army attacked over open flooded ground, but by October 16, they had seized Woensdrecht at the entrance to South Beveland. At this point, Field-Marshal Montgomery ordered a regouping of all his forces to concentrate upon the opening of the Scheldt estuary. The British Second Army attacked westwards to clear the Netherlands south of the Maas and seal off the Scheldt region, while General Simonds concentrated on the area north of the Beveland isthmus. The 4th Canadian Armoured Division was moved north of the Scheldt and drove hard for Bergen-op-Zoom. By October 24 the isthmus was sealed off, and by October 31 the peninsula had fallen.

Meanwhile, there was equally fierce fighting along the Scheldt's southern shore. Here the 3rd Canadian Infantry Division encountered tenacious German resistance as they fought to cross the Leopold Canal and clear the Breskens pocket. The attack began on October 6 against fierce opposition and for three days a slender bridgehead was in constant danger of elimination. Then on October 9 an amphibious assault broke the enemy hold on the canal and the bridgehead was deepened. Troops and tanks crossed the canal and the Germans withdrew into concrete emplacements

*"Buffalo" amphibious vehicles taking troops across the Scheldt.(Public Archives Canada photo)*

along the coast. More fighting followed, but by November 3 the south shore of the Scheldt was free.

The island of Walcheren remained the one great obstacle to the use of the port of Antwerp. Its defences were extremely strong and the only land approach was the long narrow causeway from South Beveland. To make matters worse, the flats that surrounded this causeway were too saturated for movement on foot while at the same time there was not enough water for an assault in storm boats.

The attack was to be made from three directions: across the causeway from the east; across the Scheldt from the south; and from the sea. To hamper German defence the island's dykes were breached by heavy RAF bombing to inundate the central area and thus permit the use of amphibians.

The Canadians attacked the causeway on October 31 and after a grim struggle established a precarious foothold. Then, in conjunction with the waterborne attacks, the 52nd British Division continued the advance. On November 6 Middelburg, the island's capital, fell and by November 8 all resistance ended. The channel was cleared of mines and on November 28 the first convoy entered the port of Antwerp.

▲ *Sweepers returning to Antwerp docks. (Public Archives Canada 42887)*

*Rubber rafts ferry soldiers of the Chaudières over the canal at Zutphen.(Public Archives Canada 49416)*

*Perth Regiment advancing through the woods north of Arnhem, April 1945. (Public Archives Canada 50084)*

## The Rhineland Campaign

Following the battle of the Scheldt, the Canadians were given the responsibility of holding the line along the Maas and the Nijmegen salient. This was a largely static period of three months spent in planning and preparation for the spring offensive, although some sharp clashes took place.

In February 1945 the Allies launched the great offensive which was designed to drive the enemy back over the Rhine and bring about his final defeat.

The first phase of the campaign began in the north where Field-Marshal Montgomery had under his command the Ninth U.S. Army as well as his British and Canadian forces. There were to be two formidable thrusts. The First Canadian Army would advance from the Nijmegen salient south-eastwards to clear the corridor between the Rhine and the Maas, while the Ninth U.S. Army would drive north-eastwards and converge with the Canadians on the Rhine opposite Wesel.

In this battle the First Canadian Army, again under General Crerar's command, was strengthened by the addition of Allied formations, and became the largest formation a Canadian officer had ever commanded in action. The task called for the clearing of the great Reichswald Forest, the breaking of the Siegfried Line, clearing the Hochwald Forest defences and closing up the Rhine.

Given the code name *Veritable* the offensive was launched on February 8, preceded by a crushing air and artillery attack on the enemy positions. But progress was not easy. Mud and flooded ground hampered the advance and at times troops floundered through water three feet deep. Moreover, the American drive from the south was delayed and the enemy was able to reinforce his positions. Nevertheless, the outer defences of the Siegfried Line fell and, far on the left the "water rats" of the 3rd Division were able to cross flooded land and achieve significant gains. Thereafter, in a foot-by-foot advance through the pine forest of the Reichswald and the water-logged countryside, the British and Canadian soldiers fought their way forward, until on February 21, they had cracked the vaunted Siegfried Line.

The formidable defences about the Hochwald Forest and Balberger heights still barred the way to the Rhine.

*Tank of the 4th Canadian Armoured Division during the advance towards the Hochwald Forest. February 1945. (Public Archives Canada 46990)*

The assault against these formidable positions was launched on February 26 by the 2nd and 3rd Canadian Infantry Divisions and the 4th Armoured Division. The advance was an agonizing repetition of the Reichswald battle with troops holding slight gains against fierce enemy counter-attacks as tanks, handicapped by mud and rain, struggled forward. It took until March 4 to clear the enemy from both objectives. The Americans were now also making progress from the south. Resistance continued until March 10 when the enemy blew up the bridges of the Wesel and withdrew to the east bank of the Rhine.

During this month of fighting, the First Canadian Army lost 15,634 killed, wounded or missing, including 5,304 Canadians, but they had gained the banks of the Rhine which marked the last major line of German defence.

## Liberation of The Netherlands

The way was now clear for the final phase of the campaign in Northwest Europe. On March 23 the Allied forces began the assault across the Rhine. Although the First Canadian Army as such took no part in the crossings, the troops of the 9th Canadian Infantry Brigade, under British command, participated in the crossing of the Rhine at Rees, and the 1st Canadian Parachute Battalion, dropped successfully east of the river near Wesel. Several days later the 3rd Division crossed the Rhine and fought its way to Emmerich.

With the Rhine behind them, it was now possible for the Allied forces to exploit their great advantage in numbers and to press forward into Germany. On the eastern front the Russians were approaching Vienna and were ready to advance over the Oder River against Berlin.

The Canadian Army's role in these final days of the war was to open up the supply route to the north through Arnhem, and then to clear the northeastern Netherlands, the coastal belt of Germany eastwards to the Elbe River, and western Holland.

This time the First Canadian Army was far more completely Canadian than ever before as the 1st Canadian Corps which had fought so long in Italy had been transferred to Northwest Europe. Two Canadian Army corps would fight side by side for the first time in history. The 2nd Canadian Corps would clear the northeastern Netherlands and the German coast, while the 1st Canadian Corps would deal with the Germans remaining in the western Netherlands north of the Maas.

### Northeastern Holland

The 2nd Canadian Corps' northern drive rapidly gained momentum and as the troops crossed into the Netherlands they were greeted by the enthusiastic demonstrations of the liberated Dutch people.

On the right Major General Vokes' 4th Canadian Armoured Division crossed the Twente Canal and pushed forward to capture Almelo on April 5, before curving eastward to re-enter Germany. In the centre, the 2nd Division crossed the Schipbeck Canal and advanced in a virtually straight line to Groningen in northern Holland which they reached on April 16. The 3rd Division, on the Corps' left flank, was charged with clearing the area adjoining the Ijssel and after several days of stiff fighting occupied the historic Zutphen on April 6. Then, pushing forward they captured Deventer, Zwolle and Leeuwarden and reached the sea on April 18.

The operations of the 2nd Corps were then extended from eastern Holland into western Germany. The 4th Division crossed the Ems River at Meppen and combined with the 1st Polish Armoured Division in thrusts on Emden, Wilhelmshaven and Oldenburg. The 3rd Division also moved on Emden; while the 2nd Division advanced from Groningen to the area of Oldenburg.

### Western Holland

In the western Netherlands the 1st Canadian Corps comprising the 1st Canadian Infantry Division and the

*People celebrating the Liberation in Amsterdam, May 1945. (Public Archives Canada 51747)* ▶

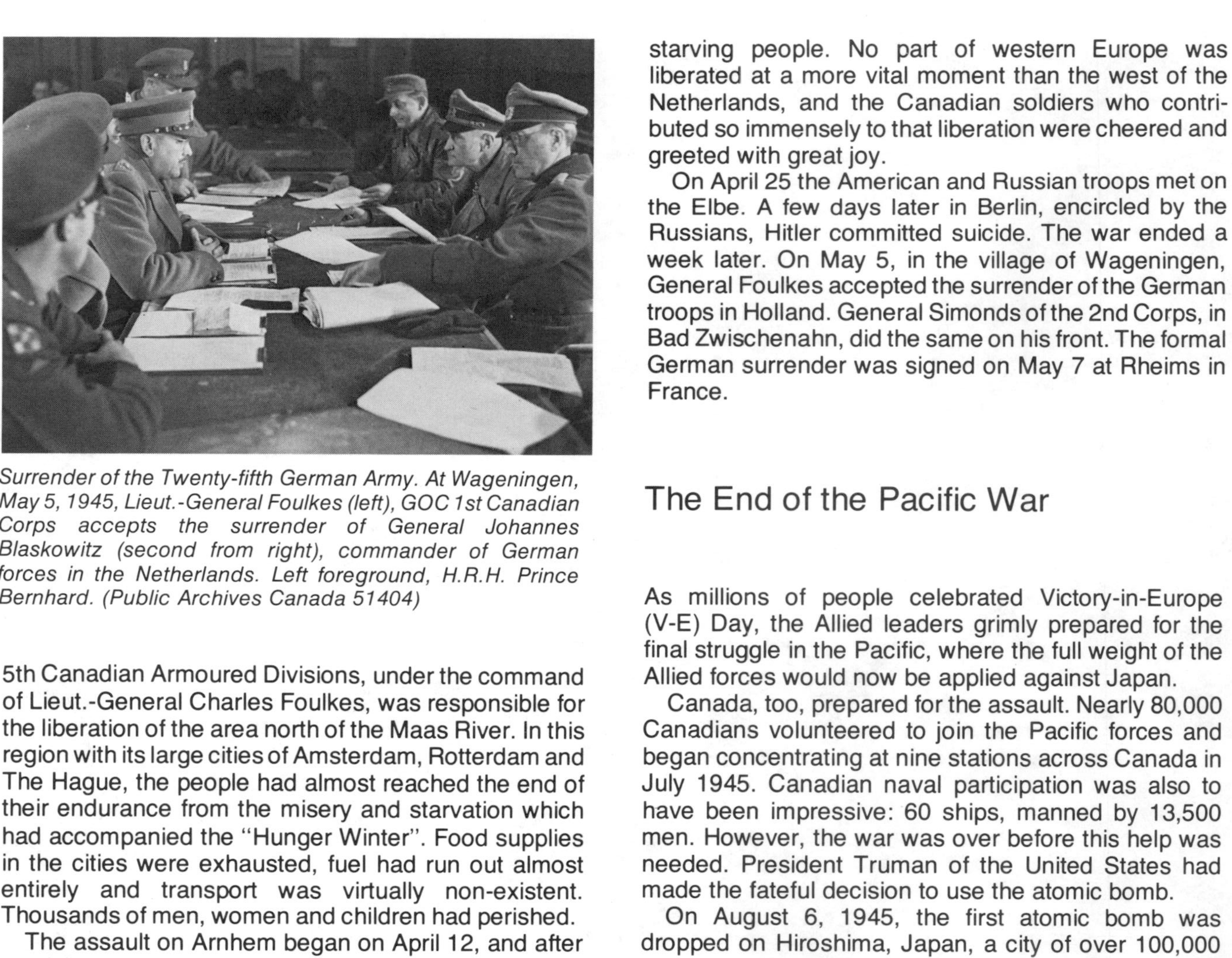

*Surrender of the Twenty-fifth German Army. At Wageningen, May 5, 1945, Lieut.-General Foulkes (left), GOC 1st Canadian Corps accepts the surrender of General Johannes Blaskowitz (second from right), commander of German forces in the Netherlands. Left foreground, H.R.H. Prince Bernhard. (Public Archives Canada 51404)*

5th Canadian Armoured Divisions, under the command of Lieut.-General Charles Foulkes, was responsible for the liberation of the area north of the Maas River. In this region with its large cities of Amsterdam, Rotterdam and The Hague, the people had almost reached the end of their endurance from the misery and starvation which had accompanied the "Hunger Winter". Food supplies in the cities were exhausted, fuel had run out almost entirely and transport was virtually non-existent. Thousands of men, women and children had perished.

The assault on Arnhem began on April 12, and after much house-to-house fighting the town was cleared two days later. The 5th Division then dashed northwards to the Ijsselmeer some thirty miles away to cut off the enemy defending against the 1st Division at Apeldoorn. Apeldoorn was occupied on April 17.

By April 28 the Germans in West Holland had been driven back to a line running roughly between Wageningen through Amersfoort to the sea, known as the Grebbe Line. On that day a truce was arranged, fighting ceased in western Holland, and several days later food supplies began to move through for the starving people. No part of western Europe was liberated at a more vital moment than the west of the Netherlands, and the Canadian soldiers who contributed so immensely to that liberation were cheered and greeted with great joy.

On April 25 the American and Russian troops met on the Elbe. A few days later in Berlin, encircled by the Russians, Hitler committed suicide. The war ended a week later. On May 5, in the village of Wageningen, General Foulkes accepted the surrender of the German troops in Holland. General Simonds of the 2nd Corps, in Bad Zwischenahn, did the same on his front. The formal German surrender was signed on May 7 at Rheims in France.

## The End of the Pacific War

As millions of people celebrated Victory-in-Europe (V-E) Day, the Allied leaders grimly prepared for the final struggle in the Pacific, where the full weight of the Allied forces would now be applied against Japan.

Canada, too, prepared for the assault. Nearly 80,000 Canadians volunteered to join the Pacific forces and began concentrating at nine stations across Canada in July 1945. Canadian naval participation was also to have been impressive: 60 ships, manned by 13,500 men. However, the war was over before this help was needed. President Truman of the United States had made the fateful decision to use the atomic bomb.

On August 6, 1945, the first atomic bomb was dropped on Hiroshima, Japan, a city of over 100,000 people. The results were terrifying. A third of the city was obliterated; the rest lay in ruins. Three days later, a second and larger bomb totally destroyed the port of Nagasaki. The Japanese government sued for peace on the following day and, on August 14, 1945, Japan accepted the Allied terms of unconditional surrender. The Second World War was over.

## The War at Sea

In the First World War Canada's front line was in France and Belgium. In the Second World War, when distance could be spanned by long-range aircraft and submarines, the front line lapped against Canada's Atlantic shoreline, and on the west coast fear of an invasion by Japan grew intense.

To most Canadians the Royal Canadian Navy was identified with the bitter submarine war in the North Atlantic (see above p. 4), but Canadian warships also served in other waters and other endeavours. They were engaged in the Mediterranean, Caribbean and Pacific theatres of war; served with the British fleet off Norway; accompanied convoys to Russia; and participated in coastal operations off northwest Europe. As well, by the end of the war, 4,000 Canadian seamen had served on loan to the Royal Navy in various branches from the Fleet Air Arm to the submarine service.

In 1942 Canadian sailors helped man the landing craft which put troops ashore during the fateful raid on Dieppe. They also aided Allied operations in North Africa by convoying and supporting troops, manning landing craft flotillas and later protecting the supply lines for material and reinforcements. In 1943, although heavily involved in the Atlantic war, the RCN was large enough to contribute substantially to the landings in Sicily and Italy. Four flotillas of landing craft, manned by 400 Canadian seamen, took part in these operations. The subsequent surrender of Italy lessened the need for warships in the Mediterranean and Allied destroyers could then be withdrawn to reinforce the Atlantic forces.

Naval preparations for the Allied invasion of Europe began late in 1943. The RCN shared in attacks on enemy warships and waterborne traffic, undertook anti-shipping patrols and supported mine-laying sorties across the English Channel. From bases in southern England two new Canadian Motor Torpedo Boat (MTB) Flotillas took part in sorties against German inshore convoys.

When the vast Allied armada advanced across the Channel on D-Day 1944, 60 Canadian destroyers, corvettes, frigates and minesweepers were there. They included two flotillas of motor torpedo boats and two of the six escort groups of destroyers, frigates and corvettes. The Canadian destroyers, *Haida, Huron*, and *Iroquois* helped guard the flanks of the fleet during the crossing.

*Minesweeper in invasion convoy. D-Day 1944. (Public Archives Canada 33957)*

The Allied assault on the beaches of Normandy began at dawn. Minesweepers went in first, clearing lanes and dropping lighted buoys to guide the armada to the shore. Six Canadian "Bangor" class vessels helped sweep mines from the path of the invading fleet in the British sector; ten others swept the way to an American beach. Behind them came the assault ships, including *HMCS Algonquin* and *HMCS Sioux*, to bombard enemy installations and provide cover for the disembarking troops.

The landing ships followed, and in the absence of enemy counter-fire unloaded their landing craft filled with soldiers. Among the infantry landing ships were two converted Canadian merchant cruisers, the *Prince Henry* and *Prince David*, and three landing craft flotillas. Farther west, five Canadian corvettes conveyed blockships to form artificial harbours off the beach.

The navy remained active in the months following D-Day. Until European ports were captured, resupply had to be carried out across the beaches and the minesweepers and landing craft flotillas were thus fully employed. Intense coastal warfare continued as well. Two Canadian MTB flotillas covered the beaches near Le Havre and engaged in search and pursuit operations in the Channel. They destroyed enemy ships in convoy and sank and damaged enemy torpedo boats and gun boats, until they, themselves, fell victim to German mines. Canadian corvettes, meanwhile, carried out escort duty, fending off enemy ships and submarines.

The combined efforts of the naval and ground forces freed the European ports and forced the Germans to abandon their Bay of Biscay submarine bases. However, the German undersea fleet was moved to Norway and to North Sea bases and continued to threaten lines of communication, and to attack Murmansk-bound convoys. In August, the Canadian-commanded escort carrier *Nabob* joined the Home Fleet for naval-air operations against German targets in Norway, where she unfortunately fell victim to a U-boat attack. The Canadian destroyers, *Algonquin* and *Sioux* continued operations with the Home Fleet. During September 1944, they joined the North Russia convoy run, and in the autumn and winter were frequently used to protect carriers on anti-shipping and minelaying sorties.

Canadian ships also aided in the landing of troops in southern France and put a British Commando unit ashore on the Greek island of Kithera. On October 14, 1944 they landed British and Greek soldiers at the Piraeus, the port of Athens.

Even as the war against Germany drew to a close, the battle of the seas went grimly on. The U-boats, with new equipment, could not yet be discounted. In the last five months of the war they sank a half a million tons of Allied shipping. The continuing danger of submarine attack meant that Canadian anti-submarine sea and air forces were still required in European waters. At least 25 per cent of the 426 escort vessels in British home waters in 1945 were Canadian. The RCN thus came to carry a large share of the burden in the struggle for control of

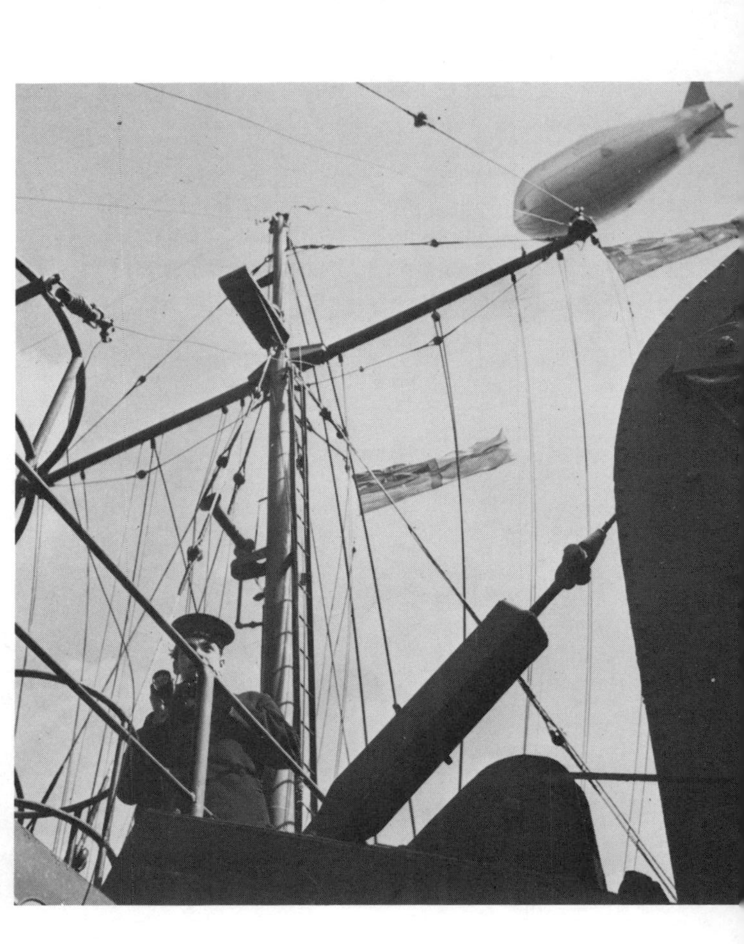

*Barrage balloon. (Public Archives Canada 34008)* ▶

*View of the eastern end of Hong Kong from HMCS Prince Robert, November 1941. (Public Archives Canada PA-114809)*

Britain's coastal waters. Statistics indicate the effectiveness of that force. Of the 27 U-boat kills credited to the RCN between 1939 and 1945, 20 occurred east of the 35th meridian of longitude and 17 of those took place after November 20, 1943.

For the navy the fighting against the Germans ended on May 8, 1945.

With the defeat of Germany attention could be focussed on the Pacific for the final war against Japan. In the early years of the war, when the battle of the Atlantic was critical, Canada had been forced to give the Pacific theatre low priority. Base facilities were expanded and Esquimalt, Vancouver and Prince Rupert were reorganized, but by October 1940 the only naval force of any size on the west coast was the Fisherman's Reserve of 17 vessels and 150 officers and men drawn from British Columbia's fishing community.

Canada's western seaboard became more vulnerable with Japan's entry into the war in 1941. However, help would also come from the United States fleet which was concentrated in the Pacific, while the Canadians and British defended the Atlantic.

In June 1942 the United States requested Canadian assistance when the Japanese seized the Aleutian islands of Attu and Kiska and bombed the nearest United states base at Dutch Harbor. The Canadian ships, *Prince David* and *Prince Robert*, performed convoy escort duty and helped the Americans concentrate their troops for the attack against Attu which they regained in May. The Canadian corvette *Dawson* made a final trip to Alaska in July when she escorted a troop convoy for the assault on Kiska. No Canadian warship was present on August 15, 1942, when a joint American-Canadian force made an amphibious landing on the island only to find that the Japanese had already evacuated it.

Canadian naval participation in the final stage of the Pacific war was to have included 60 ships, manned by 13,500 men. In fact only one ship, the cruiser *Uganda* took an active part; the end came quickly for Japan, and before other Canadian ships could be sent.

Canadian seamen had played a significant role in the sea war against Germany. Beginning the war with only six fairly modern destroyers, five small minesweepers and two training vessels, the Royal Canadian Navy ended with 373 fighting ships most of which were built in Canada. At the outbreak of hostilities there were barely 1,800 permanent force officers and men and a reserve force of 1,200. When peace came in 1945 this number had swelled to more than 113,000 of which 7,126 were enlisted in the Women's Royal Canadian Naval Service. Canadian ships shared in the sinking of 29 German and Italian submarines. And 1,190 Royal Canadian Navy personnel died in the service of their country.

# The War in the Air

*Hudson on Atlantic Coast Patrol, August 1940. (DND photo PL-1186)*

Canadian achievements in the air in the Second World War were remarkable. The smallest of Canada's three services in 1939, with insufficient manpower and inadequate equipment, the RCAF expanded by 1945 to the fourth largest air force of the Allied powers. RCAF units took part in every major air operation overseas, from the Battle of Britain to the bombing of Germany and, in addition, played an important role in air training and in the protection of shipping and transportation. They flew every kind of aircraft there was from the workhorse Dakota to the Mosquito, Halifax, Liberator, Lancaster and the glamorous Spitfire. In all, more than 232,500 men and 17,000 women served in the RCAF both in home defence and farther afield. They flew into the German industrial heartland, with the Desert Air Force in the Middle East, on coastal patrol from Ceylon, over the Burma Road, the Norwegian fiords, and out over the Atlantic on U-boat patrol. In addition, thousands of Canadians served with the RAF overseas.

Canadian air personnel were involved in three major areas of service during the war: the British Commonwealth Air Training Plan; the theatre of war overseas; and the Home War Establishment.

## The British Commonwealth Air Training Plan

One of Canada's most distinctive contributions to the war effort was the British Commonwealth Air Training Plan. Under an agreement signed in December 1939, Canada provided training facilities for airmen from all parts of the Commonwealth. Far away from actual fighting, and with excellent flying conditions, Canada was ideally suited to such a program. She also possessed a great deal of the necessary expertise and facilities. A large number of Canadians trained during the First World War were still active airmen and the opening up of the vast northland had created others.

This was a gigantic undertaking. An army of experts had to be assembled, airfields developed, and equipment, including airplanes, procured. Training began in the spring of 1940. By the end of 1943 more than 3,000 students were graduating each month. By the end of the war the BCATP had produced 131,553 aircrew including pilots, wireless operators, air gunners and navigators. Of these more than 55 per cent were Canadians.

## Home Defence

In August 1939, even before Canada's entry into the war, the Eastern and Western Air Commands of the RCAF were formed and had begun patrols in the northwest Atlantic and northeast Pacific. The commands were established to defend Canada from the air and to protect convoys carrying vital supplies to Europe. As the war continued air force bases were opened all along Canada's eastern and western coasts.

Eastern Air Command provided almost all of the air protection in the northwest Atlantic during the war. When long-range aircraft became available this protection extended for hundreds of miles out over the ocean. Transport squadrons were also formed to provide, for the first time, regular heavy transport and mail services by air across the Atlantic.

The heaviest action came from 1942 to May 1943 when enemy U-boat activity moved to the western Atlantic. The resources of the Command were fully extended in meeting the threat which reached into Canadian waters. Although by the summer of 1943 the worst was over, the danger remained until the last submarine in the area surrendered in May 1945.

The statistics for the Eastern Air Command of six submarines sunk and three heavily damaged do not adequately portray the thousands of hours of flight from isolated air bases, the vast expanses of sea patrolled, often in foggy conditions, or the number of attacks on enemy submarines, all of which aided the supply convoys to travel unmolested.

Western Air Command saw little action until Japan's entry into the war in December 1941. It had, however, been making preparations through intensive training and by modernizing its equipment. From the spring of 1942 until July 1943, two fighter squadrons and one bomber reconnaissance squadron from the Command flew with the Americans on reconnaissance patrols and strafing missions to assist in expelling the Japanese from the Aleutian islands of Kiska and Attu. It was in the northeast Pacific that the only enemy plane destroyed by the Canadian home command, a Japanese Zero, was shot down.

Western Air Command was also responsible for the establishment of an air supply route to Alaska, the Aleutians and on to Russia. This service expanded to such a degree that the Northwest Air Command was created in June 1944 to administer and maintain its airfields and facilities.

## Overseas

In the early months of the war, the heavy commitments to Canadian air defence and to the development of the BCATP meant that only three RCAF squadrons could be spared for overseas service. This number was steadily increased so that by war's end there were 48 RCAF squadrons serving in the Western European, Mediterranean and Far Eastern theatres.

In addition to those who served in the RCAF, thousands of young Canadians crossed the Atlantic to join the Royal Air Force. In Coastal Command, Bomber Command, Fighter Command and other units of the RAF, they took part in all aspects of the air war over Europe. This Canadian contribution was recognized early in the war when the first all-Canadian unit with the RAF, the 242 (Canadian) Squadron, was set up. The squadron was in action from the very beginning conducting patrols across the Channel to protect the evacuation of Dunkirk, and participating in the struggle for the survival of Britain.

RCAF squadrons were engaged extensively in both fighter and bomber operations. As we have seen (above p. 3), No. 1 Fighter Squadron, after only a few weeks of training, had joined the Fighter Command in the Battle of Britain in 1940. Then, as the *Luftwaffe* was repulsed and the German invasion prevented, Fighter Command quickly moved to the offensive. Separately, or in conjunction with Bomber Command, fighters struck into Nazi-occupied France and Belgium to attack enemy troop movements, ammunition factories, airfields and gun positions.

At first the Canadian squadrons flew in formation with the RAF units, but as their numbers increased, all-Canadian wings were formed. By D-Day 1944, there were three RCAF Spitfire wings, a wing flying dive-bombing Typhoons, and a reconnaissance wing of Spitfires and Mustangs. On August 19, 1942, eight of the 74 Allied squadrons which gave aerial support to the raid on Dieppe belonged to the RCAF.

By the spring of 1944, with the *Luftwaffe* virtually driven from the coastal area, preparations began for the Allied invasion of the continent. The Spitfires became fighter-bombers carrying a 500-pound bomb under each wing and, together with a wing of Typhoons, engaged in bombing bridges, railways, radar posts and coastal defences. The RCAF Reconnaissance Wing, equipped for ground attack as well as for taking photographs, made regular sorties across the Channel.

The RCAF Fighters were also to work in close support of the invading armies when the Allies returned to the Continent. For the invasion of Europe two complete groups of air support organizations were formed. The fighters, fighter-bombers, and reconnaissance squadrons would keep in constant touch with the front-line troops and help develop ground attack. It was hoped that the RCAF would support the Canadian ground forces when the time came to go into battle. In June 1943 No. 83 Group, to which the RCAF reconnaissance and fighter squadrons were transferred, was assigned to the First Canadian Army. Six home-defence squadrons were also sent overseas to join it. While No. 83 Group was not an all-Canadian formation, 15 of its 29 squadrons and half its ground establishment of 10,000 were Canadian. The expectation that Canadian land and air forces would go into battle together came to a disappointing end when on D-Day the highly experienced No. 83 Group was transferred to support the Second British Army which had been designated to manage the actual landing. The (all RAF) 84 Group was assigned to the Canadians.

The biggest and costliest Canadian air commitment was in Bomber Command. In 1940, as hundreds of Nazi bombers ravaged Britain, the RAF had only limited aircraft with which to fight back. The situation was desperate. However during the winter of 1940-41, the RAF bomber force was reinforced with young fliers from the air-training schools of Canada and by new aircraft from British and Canadian factories. These aircraft included the large four-engined bombers — Stirlings, Halifaxes and Lancasters — each capable of carrying from five to seven tons of bombs.

Throughout 1941 and 1942 raids of steadily mounting intensity battered the industrial cities of Germany and struck U-boat bases, docks and railway centres from Norway to France. By the end of 1942 new radar devices enabled "Pathfinder" bombers with fire bombs and brilliant flares to guide the heavy bombers to their targets at night. In 1943 "saturation" bombing reached an appalling new level as German cities were subjected to massive bombing attacks.

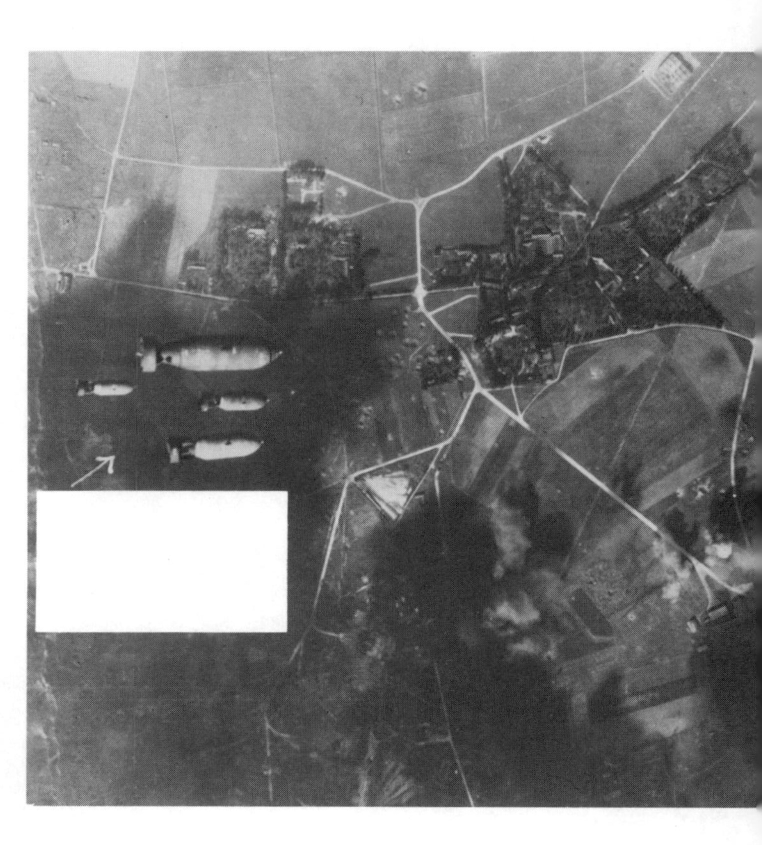

*Four thousand-pound bombs dropping from the bay of a Canadian-built Lancaster towards Nazi troop concentrations. (DND photo PL-32845)*

Canada's responsibility in bomber operations also expanded dramatically. The first Canadian bomber mission was carried out on the night of June 12, 1941. A year later 68 RCAF aircraft took part in the first 1000-bomber raid, and by the end of the war Canadian squadrons were sending out more than 200 heavy bombers in single raids carrying 900 tons of bombs.

At the beginning of 1943, 11 Canadian bomber squadrons were brought together to form an all-Canadian Bomber Group, No. 6, under the command of Air Vice-Marshal G.E. Brooks, who was succeeded a year later by Air Vice-Marshal C.M. McEwen. In the beginning No. 6 Group suffered a grim casualty rate. Between March 5 and June 24, 1943, the group lost 100 aircraft, seven per cent of its strength. However, by mid-1944 with better equipment and training, more experience, a reprieve from bombing missions into Germany, and fighter protection up to the targets, the situation was reversed. At the end of 1944 No. 6 Group could boast the lowest casualties of any group in Bomber Command.

The value of the Bomber offensive against Germany remains bitterly controversial. The aim was to destroy military and industrial installations and, by destroying the means to war, to force Germany to surrender. However, war production was only minimally reduced in the bombing raids while thousands of civilians died, and great cultural centres were ruined. This was a terrible example of total war. Yet, as democracies were fighting for survival, the mass bombing of civilians, rightly or wrongly, appeared justified.

As well, the death toll in Bomber Command was

*"Bombing up" one of the big Halifax aircraft in the Canadian group overseas with a mixed load of high explosive bombs and incendiaries. (DND photo PL-19506)*

*Two Spitfires of the RCAF's Hornet Squadron take off over the roof of a flying control van. (DND photo PL-43156)*

tragically high. It took a special kind of courage to fly night after night across enemy territory in the face of German defences. Many of the big planes failed to return. Enemy night fighters and dense "flak" (anti-aircraft ground-fire) often inflicted heavy losses. A total of 9,980 Canadians lost their lives in Bomber Command.

When the Allies finally returned to the European Continent on June 6, 1944, the RCAF was there to provide support. Bombers of No. 6 Group dropped over 870 tons of bombs on gun positions overlooking the beaches of Normandy, and fighter wings dive-bombed enemy strongholds and guarded the Allied landings. During the bitter fighting which followed around Caen, the RCAF gave air support to the Canadian and British forces, and when enemy troops were caught in the Falaise pocket, Spitfires and Typhoons attacked the long columns of vehicles with deadly machine-gun fire. The RCAF then helped cover the advance of the armies across northern France and Belgium, into the Netherlands, and finally across the Rhine and into Germany itself.

Outstanding exploits were performed by RCAF pilots as they drove the German Air Force from the sky and prepared the way for advancing armies. The Reconnaissance Wing carried out photographic and tactical reconnaissance to gather information, first for planning the operation itself and then in aid of the advance. This wing was to end the war deeper in Germany than any other RCAF unit. Canada also supplied a transport squadron for duties in northwestern Europe. Formed in the late summer of 1944, it towed gliders for the airborne landing at Arnhem in September and for the crossing of the Rhine at Wesel in March 1945. Its Dakotas dropped supplies and transported troops, equipment and ammunition, returning loaded with casualites.

### Elsewhere

Canadian airmen also took part in other air operations in other parts of the world. At one time or another seven RCAF units served in Coastal Command where they were continuously employed in the campaign against the U-boats, escorting convoys and searching the seas from Iceland to Gibraltar. One squadron stationed in northern Scotland and the Shetland Isles served as a coastal fighter unit. It carried out reconnaissance and escort missions across the North Sea to the coast of

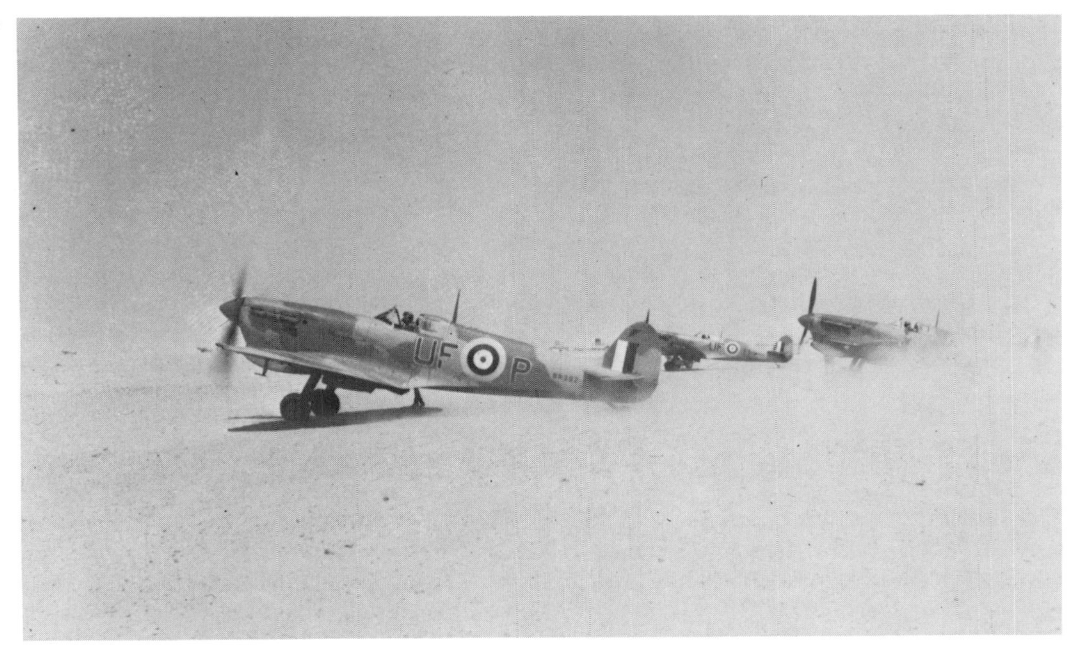


*Canadian-manned Spitfires in desert war in the Middle East. (DND photo PL-10067)*

Norway. Later it became a strike unit attacking enemy shipping from the coast of Norway to the ports of southern France. Another squadron made daring attacks on enemy shipping off the Frisian Islands and the Dutch coast.

In the Mediterranean theatre Canadians assisted in the vital task of keeping Malta out of enemy hands and preventing the whole Mediterranean from falling under Axis domination. One out of every four Allied pilots who flew in the Battle of Malta was Canadian.

An RCAF squadron flying with the Desert Air Force from Egypt took part in the bombing of northern Italy, protected Alexandria and covered the Allied invasion of Sicily and Italy. Three other RCAF squadrons were sent to the Mediterranean to assist in the invasion of Italy and Sicily in June 1943. Based in Tunisia, they made almost nightly attacks on harbours, freight yards and rail junctions in preparation for the invasion.

A squadron of the RCAF was part of the Southeast Asia Air Command which patrolled the Indian Ocean and Persian Gulf from late 1941 until late 1944. It was, in fact, a Canadian aircraft which noticed a Japanese fleet approaching Ceylon and, although shot down, sent a warning message which enabled the island's defences to be manned in time.

Two RCAF transport squadrons were also sent to Southeast Asia in 1944 to drop supplies by parachute into dense jungle and carry freight, casualties and other passengers. These unarmed squadrons encountered intense Japanese ground fire, and were, on one occasion, attacked by enemy fighters.

The air force that had started the war 3,100 strong, ended it with a roll call of 249,624. A total of 17,100 gave their lives in the service of their country.

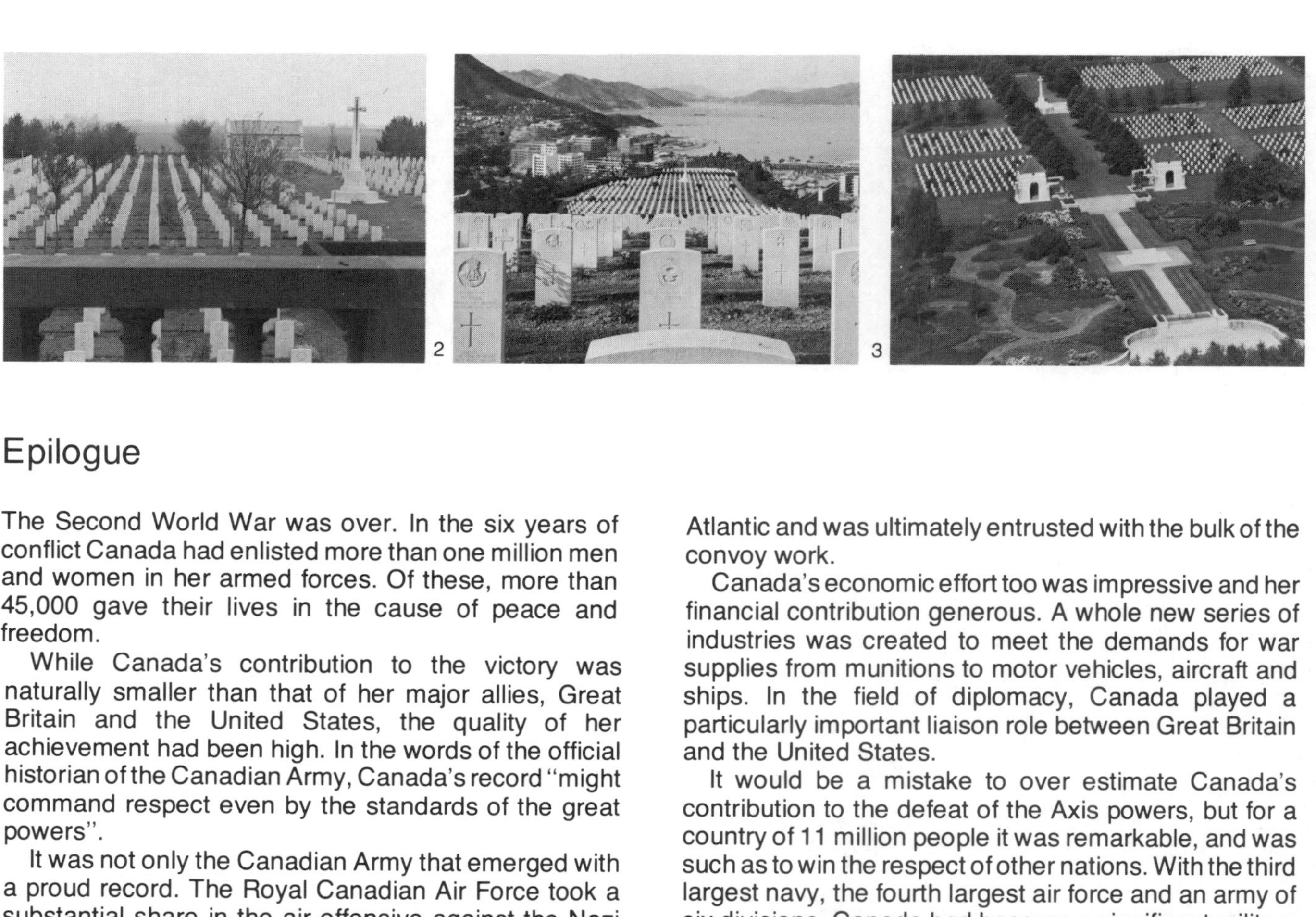
1 2 3

# Epilogue

The Second World War was over. In the six years of conflict Canada had enlisted more than one million men and women in her armed forces. Of these, more than 45,000 gave their lives in the cause of peace and freedom.

While Canada's contribution to the victory was naturally smaller than that of her major allies, Great Britain and the United States, the quality of her achievement had been high. In the words of the official historian of the Canadian Army, Canada's record "might command respect even by the standards of the great powers".

It was not only the Canadian Army that emerged with a proud record. The Royal Canadian Air Force took a substantial share in the air offensive against the Nazi forces, and through the British Commonwealth Air Training Plan helped to train large numbers of airmen from other nations of the Commonwealth. The Royal Canadian Navy played a vital role in protecting Allied convoys from Nazi submarines that lurked beneath the Atlantic and was ultimately entrusted with the bulk of the convoy work.

Canada's economic effort too was impressive and her financial contribution generous. A whole new series of industries was created to meet the demands for war supplies from munitions to motor vehicles, aircraft and ships. In the field of diplomacy, Canada played a particularly important liaison role between Great Britain and the United States.

It would be a mistake to over estimate Canada's contribution to the defeat of the Axis powers, but for a country of 11 million people it was remarkable, and was such as to win the respect of other nations. With the third largest navy, the fourth largest air force and an army of six divisions, Canada had become a significant military power.

Canada as a nation matured through the ordeal of war and was now ready to assume new responsibilities as a member of the world community.

---

Throughout the world, the Commonwealth War Graves Commission maintains graves and memorials to commemorate members of the Commonwealth Forces who died during the First and Second World Wars. A total of 109,980 Canadians are thus commemorated in 74 countries. Shown above are some of the cemeteries and memorials for Canadians who died in the Second World War.

1. Bény-sur-Mer Canadian War Cemetery. 2. Sai Wan Bay War Cemetery. 3. Holten Canadian War Cemetery. 4. Bergen-op-Zoom Canadian War Cemetery. 5. Runnymede Memorial. 6. Moro River Canadian War Cemetery (Ortona).

4 5 6

## Victoria Cross Winners

While individual acts of great courage occur frequently during war, only a few are seen and recorded. Those that are stand out as examples for all to admire and respect.

During the Second World War, thirteen Canadians were awarded the Victoria Cross, the Commonwealth's highest military decoration for bravery. Their valour sets them apart as Canadians of the highest order.

| | | |
|---|---|---|
| Company Sergeant Major John Robert Osborn | The Winnipeg Grenadiers | Hong Kong, Dec. 19, 1941 |
| Lieutenant-Colonel Charles Cecil Ingersoll Merritt | The South Saskatchewan Regiment | Dieppe, France, Aug. 19, 1942 |
| Honorary Captain John Weir Foote | Canadian Chaplain Service | Dieppe, France, Aug. 19, 1942 |
| Captain Paul Triquet | *Royal 22e Régiment* | Casa Berardi, Italy, Dec. 14, 1943 |
| Major John Keefer Mahony | The Westminster Regiment (Motor) | Melfa River, Italy, May 24, 1944 |
| Pilot Officer Andrew Charles Mynarski | Royal Canadian Air Force | France, Jun. 12, 1944 |
| Flight-Lieutenant David Ernest Hornell | Royal Canadian Air Force | Sea Patrol, North Sea, Jun. 25, 1944 |
| Major David Vivian Currie | The South Alberta Regiment (29th Armoured Car Regiment) | St. Lambert-sur-Dives, France, Aug. 18-20, 1944 |
| Private Ernest Alvia Smith | The Seaforth Highlanders of Canada | Savio River, Italy, Oct. 21-22, 1944 |
| Sergeant Aubrey Cosens | The Queen's Own Rifles of Canada | Goch-Calcar Road, Germany, Feb. 25-26, 1945 |
| Major Frederick Albert Tilston | The Essex Scottish Regiment | Hochwald, Germany, Mar. 1, 1945 |
| Corporal Frederick George Topham | 1st Canadian Parachute Battalion | Diersfordt Wood, Germany, Mar. 24, 1945 |
| Lieutenant Robert Hampton Gray | Royal Canadian Naval Volunteer Reserve | Onagawa Bay, Honshu, Japan, Aug. 9, 1945 |

Gouvernement du Canada
Anciens Combattants

Government of Canada
Veterans Affairs

# SOUVENIRS DE VAILLANCE

## La participation du Canada à la Seconde Guerre mondiale

1939 – 1945

Rédigé par Patricia Giesler
Direction des Affaires publiques
Affaires des anciens combattants Canada

Mise en page conçue par Edith Pahlke

Photographies gracieuseté des Archives publiques du Canada, du Ministère de la Défense nationale et du Musée canadien de la guerre

Cartes géographiques gracieuseté de la Direction de l'histoire, Ministère de la Défense nationale

Illustration de la page couverture: *Convoi de transport à la tombée de la nuit*, 1944, par B.J. Bobak
Gracieuseté du Musée canadien de la guerre

Peut s'obtenir de la Direction des affaires publiques,
Affaires des anciens combattants Canada, Ottawa, K1A 0P4



N[o] de cat. V32-26/1981
ISBN 0-662-51651-6

# Table des matières

# Introduction

La Seconde Guerre mondiale dura six terribles années et laissa derrière elle mort et destruction. Il s'agissait véritablement d'un conflit mondial qui encerclait le globe de l'Atlantique au Pacifique et s'étendait même jusqu'aux contrées lointaines de l'Arctique. Il ne se limitait pas non plus aux soldats et aux champs de bataille, car les nouvelles armes rendaient possible la guerre sur terre, dans les airs et sous les mers, apportant sans distinction la mort et la souffrance aux jeunes et aux vieux, dans leurs foyers et dans leurs coeurs.

Ces quelques pages ne suffisent pas à rendre pleinement compte de la guerre, de ses causes, de ses événements, de ses actes d'héroïsme et de trahison. Nous voulons ici simplement raconter brièvement l'histoire des Canadiens qui sont allés outre-mer, donner une idée des endroits où ils ont combattu et où ils sont morts et de ce qu'ils ont pu réaliser.

C'était là un exploit remarquable pour une jeune nation. De 1939 à 1945, des milliers de jeunes Canadiens combattirent sur tous les champs de bataille du monde en servant dans l'Armée canadienne, la Marine royale canadienne, le Corps d'aviation royal canadien et d'autres forces alliées. Ils étaient à leur poste pour défendre le Royaume-Uni lorsque l'invasion nazie apparut imminente. Ils se battirent vaillamment pour tenter de défendre Hong Kong contre les Japonais. À Dieppe, ils payèrent de leur personne un raid audacieux mais funeste sur la côte de France, contrôlée par l'ennemi. Ils ont surtout fait leur part dans deux campagnes importantes: ils combattirent pendant vingt mois en Italie, et étaient sur le front lorsque les Alliés retournèrent en Europe continentale en 1944.

Ils firent rejaillir l'honneur et un nouveau respect sur leur pays. Ils ont surtout aidé à gagner le combat contre la tyrannie et l'oppression qui menaçaient d'engloutir le monde. Ces jeunes Canadiens se sont battus pour notre liberté, et c'est pour elle que tant d'entre eux sont morts.

Plus d'un million de Canadiens et de Terre-Neuviens ont servi sous les drapeaux lors de la Seconde Guerre mondiale. De ce nombre, plus de 45,000 ont donné leur vie et 55,000 ont été blessés. D'innombrables autres ont dû endurer les souffrances et les misères de la guerre.

Ces quelques mots sont dédiés à ceux qui ont combattu pour que nous puissions vivre en liberté. Nous devons nous souvenir de leur vaillance.

*Convoi dans le bassin Bedford, à Halifax, en Nouvelle-Écosse, avril 1942. (Archives publiques Canada PA-112993)*

## Le début de la guerre

La Seconde Guerre mondiale commence à l'aube du 1er septembre 1939, alors que les armées allemandes déferlent sur la Pologne. Faisant porter toute la furie de la *blitzkrieg* — la guerre éclair — les divisions blindées allemandes détruisent les défenses polonaises à l'ouest. Les troupes soviétiques, conformément à un accord avec l'Allemagne, passent la frontière orientale. Prise entre deux feux, la résistance polonaise s'effondre et la Pologne capitule.

Respectant leurs engagements envers la Pologne, la Grande-Bretagne et la France déclarent la guerre à l'Allemagne le 3 septembre. Cette déclaration de guerre n'engage pas nécessairement le Canada, comme en 1914, mais il ne fait guère de doute que le Canada suivra rapidement l'exemple de la Grande-Bretagne. Le 7 septembre, le Parlement du Canada s'est réuni en session spéciale; le 9 septembre, il accorde son appui à la Grande-Bretagne et à la France et le 10 septembre, le roi George VI annonce que le Canada a déclaré la guerre.

Aussitôt, les défenses côtières du Canada sont mises en place, les régiments de milice, mobilisés même avant que la guerre n'éclate, intensifient leurs préparatifs et les volontaires s'engagent massivement sous les drapeaux. Au cours du seul mois de septembre, ils sont 58,337 hommes et femmes. En décembre, des unités de la 1re Division d'infanterie canadienne s'embarquent pour la Grande-Bretagne; ces soldats seront suivis de milliers d'autres au cours de la guerre.

Après l'effondrement de la Pologne, un calme étrange s'installe au front ouest. C'est la "drôle de guerre" ou "sitzkrieg", période d'inaction apparente qui va d'octobre 1939 à avril 1940. Les deux côtés mettent

ce répit à profit. La Grande-Bretagne travaille à sa défense, prépare ses forces aériennes et envoie un corps expéditionnaire sur le continent. Les troupes françaises prennent leur position sur la ligne Maginot — ligne fortifiée qui s'étend le long de la frontière est. Les Allemands, eux aussi, occupent leurs grandes fortifications du Rhin — la ligne Siegfried — et se préparent activement à l'attaque.

Au Canada, le recrutement s'intensifie. La 2e Division d'infanterie commence à arriver en Angleterre à l'été de 1940 et constitue, avec la 1re Division, le 1er Corps canadien, sous la direction du lieutenant-général A.G.L. McNaughton.

La "drôle de guerre" se termine sans avertissement en avril 1940; les troupes allemandes s'emparent du Danemark et entreprennent l'invasion de la Norvège. Les troupes alliées volent en vain au secours de la petite armée norvégienne. Dans le grand Nord, près du port de Narvik, la marine britannique gagne des combats, mais ces victoires isolées ne suffisent pas et les troupes alliées, qui comprennent certains ingénieurs de l'Armée canadienne, sont obligées de battre en retraite. En moins de deux mois, les Allemands ont conquis le Danemark et la Norvège et isolé la Suède. À partir des profondeurs des fiords norvégiens, les sous-marins et les navires de guerre allemands peuvent détruire les navires marchands britanniques sur la route de Murmansk.

Le 10 mai, le jour où Winston Churchill devient Premier Ministre de Grande-Bretagne, l'Allemagne lance son *blitzkrieg* contre la Hollande, le Luxembourg, la Belgique et la France. L'armée allemande manifeste toute la précision d'un mouvement d'horlogerie. En quatre jours, la Hollande est presque entièrement envahie et en dix jours seulement, les Allemands ont traversé les Ardennes, contourné l'extrémité nord de la ligne Maginot et atteint les bords de la Manche. Le 27 mai, la Belgique capitule.

Pressées de toutes parts par les troupes allemandes, les troupes alliées sont refoulées sur la Manche; seule la mer peut leur permettre de s'échapper. C'est alors que se produit le "miracle de Dunkerque". Entre le 27 mai et le 4 juin, près de 350,000 hommes, appartenant surtout au corps expéditionnaire britannique, sont évacués sur l'Angleterre par la Manche, à bord de tous les bateaux disponibles, depuis les cargos jusqu'aux bateaux de pêche. Une dernière tentative de la part des troupes canadiennes et britanniques pour conserver un "pied à terre" en France en établissant un secteur fortifié dans la péninsule de Bretagne doit également être abandonnée. Le repli forcé de Dunkerque, s'ajoutant aux pertes en armes et en matériel, est sans contredit une catastrophe; cependant, le sauvetage héroïque d'un si grand nombre d'hommes remonte le moral du peuple britannique, maintenant menacé à son tour.

Entretemps, les armées allemandes marchent sur Paris. Frappée de stupeur par la vitesse de l'avance allemande, la France est au bord de l'effondrement. C'est alors que l'Italie, sous Mussolini, attaque sur le front méditerranéen. La situation est considérée comme sans espoir; la France capitule le 22 juin 1940.

## La bataille de Grande-Bretagne

Ayant perdu son principal allié, la Grande-Bretagne reste seule avec ses Dominions, et attend l'invasion allemande. Usant de toute son éloquence, Churchill rallie son peuple et répète que la Grande-Bretagne est décidée à faire face à toute la furie et à toute la puissance de l'ennemi. C'est vraiment un ennemi terrible. Du nord de la Norvège jusqu'aux Pyrénées, toute la côte de l'Europe abrite des sous-marins, des navires et des avions ennemis qui menacent les voies de communication maritimes de la Grande-Bretagne; dans les airs, l'aviation allemande est trois fois plus nombreuse. Heureusement, Hitler hésite et remet à la mi-septembre l'Opération *Sea Lion* — l'invasion de la Grande-Bretagne.

Il était heureux que l'invasion ne se produise pas, car les forces de Grande-Bretagne n'étaient pas encore prêtes à faire face à un ennemi aussi puissant. Il est vrai

que les troupes avaient été sauvées de Dunkerque, mais elles avaient dû abandonner la plus grande partie de leur matériel. En outre, bon nombre de ces soldats n'avaient pas encore reçu un entraînement suffisant. La 1$^{re}$ Division canadienne, qui possédait encore le gros de son matériel, prenait donc une importance vitale. En juillet, les Canadiens étaient affectés au 7$^{e}$ Corps d'armée britannique. Cette nouvelle formation, qui comprenait des troupes britanniques, canadiennes et néo-zélandaises, était commandée par le général McNaughton. Elle entreprit des préparatifs intensifs pour un rôle de contre-attaque.

*Une escadrille de chasseurs Spitfire canadiens après avoir quitté une base de chasseurs. (Photo du MDN PL-22146)*

Cependant, avant de tenter la traversée de la Manche, les Allemands devront venir à bout de la *Royal Air Force*. Le 12 août 1940, l'aviation allemande, la *Luftwaffe*, se lance contre la Grande-Bretagne, attaquant les stations de radar, bombardant les aérodromes et livrant des combats aux chasseurs britanniques en vue d'obtenir la suprématie des airs. Puis, au lieu de poursuivre cette stratégie qui pourrait lui assurer la victoire, la *Luftwaffe* entreprend des raids massifs, de jour, contre Londres; ceci donne aux chasseurs le répit nécessaire et ils peuvent infliger des pertes énormes à la *Luftwaffe*. Incapable d'acquérir la maîtrise des airs, Hitler remet indéfiniment l'Opération *Sea Lion*. La bataille de Grande-Bretagne est terminée.

De nombreux Canadiens ont servi dans les escadrilles de Spitfire et de Hurricane qui ont repoussé la *Luftwaffe* à l'été de 1940. La 1$^{re}$ Escadrille de chasseurs du CARC, munie de chasseurs modernes à huit mitrailleuses, devient la première unité du Corps d'aviation royal canadien (CARC) à engager le combat contre des avions ennemis lorsqu'elle rencontre une formation de bombardiers allemands au-dessus du Sud de l'Angleterre le 26 août 1940. Elle réussit à abattre trois avions et à en endommager quatre autres en ne perdant qu'un seul pilote et un seul appareil. Sa prochaine rencontre avec l'ennemi est cependant moins heureuse, car elle est attaquée par des Messerschmitt cachés dans le soleil et perd trois avions. À la mi-octobre, l'escadrille avait détruit 31 appareils ennemis et en avait probablement détruit ou endommagé 43 autres. Elle avait perdu 16 Hurricane et trois pilotes avaient été tués.

D'autres Canadiens servaient avec la *Royal Air Force* pendant cette période difficile. La 242$^{e}$ Escadrille de la *RAF*, formée en 1939 parmi les nombreux Canadiens qui servaient dans la *RAF*, est renforcée de vétérans de la campagne française et entre dans la lutte. Le 30 août, neuf de ces avions rencontrent une centaine d'appareils ennemis au-dessus de l'Essex. Attaquant de haut, l'escadrille remporte 12 victoires et sort indemne de l'affaire.

Les Canadiens ont également aidé à repousser la dernière grande attaque de jour de la *Luftwaffe*. Le 27 septembre, la 303$^{e}$ Escadrille de la *RAF* et la 1$^{re}$ Escadrille du CARC attaquaient la première vague de bombardiers ennemis. Sept et peut-être huit avions ennemis sont détruits et sept autres endommagés. Le Corps d'aviation royal canadien vient de recevoir son baptême du feu.

Devant l'échec des plans d'invasion, les Allemands entreprennent des bombardements nocturnes pour venir à bout de la volonté de résistance de la Grande-Bretagne. Pendant neuf mois, le peuple britannique subit un bombardement aérien sans précédent de ses grandes villes, qui ne fait pourtant que renforcer sa volonté de combattre. Le nombre des attaques diminue; la Grande-Bretagne a survécu au *blitz*.

## La bataille de l'Atlantique

*Lames de la mer venant se briser sur la poupe de la frégate Swansea, janvier 1944. Cette photo donne une bonne idée des conditions dans lesquelles les Canadiens ont remporté la Bataille de l'Atlantique. (Archives publiques Canada PA-116839)*

Depuis le tout début des hostilités, la Grande-Bretagne doit faire face à une seconde menace à sa survie. Ce danger vient de la mer; l'Allemagne est bien décidée à affamer la Grande-Bretagne en coupant ses communications maritimes et en l'empêchant de s'approvisionner outre-mer. Maîtres de toute la côte européenne de Narvik aux Pyrénées, les Allemands tentent de couper les lignes de ravitaillement de la Grande-Bretagne à partir de tous les ports et de tous les aérodromes de l'ouest de l'Europe.

Pendant six longues années, la Marine canadienne sera l'un des principaux protagonistes de ce qu'on appellera la bataille de l'Atlantique. La Marine royale canadienne, qui n'avait que 13 navires et 3,000 hommes au début de la guerre la finira avec 373 navires de combat et plus de 90,000 hommes. Au cours de la crise de 1940, alors que les armées allemandes marchaient sur la France, quatre destroyers de la MRC ont été envoyés dans la Manche où ils ont aidé à l'évacuation des troupes, débarqué des militaires et effectué des démolitions. Après la chute de la France, les destroyers canadiens se sont joints à la Marine royale pour protéger les approches sud-ouest de la Grande-Bretagne où les sous-marins allemands attaquaient vigoureusement. À compter de juillet 1940, tous les navires doivent être détournés par le nord de l'Irlande et la mer d'Irlande.

Même cette route est sérieusement menacée et les navires canadiens dans les eaux britanniques tentent de repousser les attaques des sous-marins tout en repêchant les survivants des navires marchands torpillés. À la fin de 1940, à la suite d'une entente entre la Grande-Bretagne et les États-Unis, 50 vieux destroyers américains sont transférés à la Marine royale. Le Canada en acquiert six. Ceci permet d'augmenter la contribution canadienne dans les eaux britanniques et, en février 1941, il y a dix destroyers de la MRC qui travaillent avec la flotte anglaise.

Bien que la Marine royale ait pu affirmer sa supériorité sur la flotte allemande de surface, la menace des sous-marins allemands — *Unterseebooten* — s'accroît. Un nombre de plus en plus grand de sous-marins se

joint aux bandes qui chassent en mer; au printemps de 1941, ils coulent les navires marchands plus vite qu'on ne peut les remplacer.

Pour assurer les approvisionnements stratégiques, il faut pouvoir traverser l'Atlantique. Pour pouvoir transporter la plus grande quantité possible de marchandises et d'hommes, il faut organiser et contrôler le mouvement des navires et les protéger des attaques ennemies. C'est pourquoi on constitue des convois pour régler les mouvements des navires et pour pouvoir mieux les escorter par mer et par air.

C'est en maintenant ouverte cette ligne vitale de communication en assurant la protection des convois que les aviateurs et les marins canadiens joueront un rôle de plus en plus vital. Le premier convoi part de Halifax le 16 septembre 1939, escorté par les destroyers canadiens *Saint-Laurent* et *Saguenay* jusqu'à ce qu'il soit rendu loin dans l'Atlantique où des croiseurs britanniques prennent la relève. Pendant de nombreux mois — jusqu'à ce que de nouveaux navires soient lancés — les Canadiens fournissent des escortes; c'est un travail onéreux et dangereux et les Canadiens connaissent les pires misères de la guerre en mer. La navigation dans le Nord Atlantique est extrêmement dangereuse et des hommes meurent non seulement à la suite des attaques de l'ennemi, mais aussi d'exposition aux intempéries et des accidents qu'entraînent le brouillard et les tempêtes d'hiver.

La protection n'est pas non plus suffisante pour empêcher de lourdes pertes. On manque de navires de guerre et d'avions de patrouille maritime, les appareils sont désuets et la formation fait défaut. Concentrant leurs attaques sur les points faibles des défenses navales des Alliés, les sous-marins allemands commencent à attaquer les navires marchands beaucoup plus loin à l'ouest au moyen de leurs nouveaux sous-marins à long rayon d'action lancés de leurs nouvelles bases dans le golfe de Gascogne. Des navires sont perdus parce que leurs escortes ont atteint les limites de leur endurance et ont dû faire demi-tour. À l'approche du printemps 1941, l'ennemi intensifie ses attaques et les pertes en navires atteignent des proportions très graves. Au cours du seul mois de juin, un total de plus de 500,000 tonneaux sont perdus aux mains des sous-marins.

On construit donc de nouveaux types de navires et les scientifiques travaillent désespérément pour concevoir de nouvelles façons de repérer et de détruire les sous-marins. La flotte canadienne est augmentée de plusieurs nouveaux types de navires, dont la corvette est peut-être le plus célèbre. Conçue sur le modèle d'une baleinière, elle peut se produire rapidement et à bon marché, elle peut l'emporter sur un sous-marin en tactique et son rayon d'action est très long. Cependant, les corvettes sont loin d'être des paradis flottants; lorsque la mer est grosse, l'eau salée s'infiltre par les joints, les écoutilles et les ventilateurs. Les 60 hommes d'équipage qui y sont entassés doivent vivre dans des conditions peu enviables. Néanmoins, ces petits navires, dont les 14 premiers furent contruits à la fin de 1940 s'avérèrent précieux dans la guerre anti-sous-marins.

Les sous-marins ennemis commençant à se risquer plus loin à l'ouest, les Britanniques répondent en établissant de nouvelles bases pour les navires et les avions en Islande et à Terre-Neuve. Les bases de Terre-Neuve relèvent du Canada. Le 31 mai 1941, le Commodore L.W. Murray, MRC, est nommé commandant de la force d'escorte de Terre-Neuve, plus tard la force d'escorte de haut mer, relevant du commandant en chef britannique des approches de l'Ouest, Quelques jours plus tard, les premières corvettes canadiennes rejoignent son commandement. En juin, les destroyers canadiens des eaux britanniques reviennent servir avec la force de Terre-Neuve. En juillet, la force d'escorte de Terre-Neuve compte 12 groupes et escorte des convois jusqu'au 35° ouest.

Quant au CARC, il assure des patrouilles à partir de Terre-Neuve depuis 1939 et le premier escadron de patrouille maritime est stationné à Gander depuis 1940. Il assure maintenant le soutien aérien de la force d'escorte de Terre-Neuve. À partir de bases situées des deux côtés de l'Atlantique et en Islande, les avions de la défense côtière de la *RAF* ainsi que les escadrilles du CARC patrouillent toute la route, à l'exception d'un secteur d'environ 300 milles au milieu de l'Océan.

La bataille navale continue. On n'arrive pas à remplacer les navires aussi vite qu'ils sont perdus; les escortes sont presque toujours en infériorité numérique par rapport aux bandes de sous-marins allemands et il

devient manifeste que la guerre pourrait bien être perdue en mer.

Entretemps, malgré leur neutralité officielle, les États-Unis se sont de plus en plus impliqués dans la guerre en mer. En septembre 1941, les forces navales canadiennes relèvent de la coordination américaine. Au lieu de relever du commandant en chef britannique, situé en Angleterre, elles relèvent d'un commandant américain, qui sera beaucoup plus près de la situation. Cependant, lorsque les États-Unis entrent officiellement en guerre en décembre 1941 après l'attaque japonaise contre Pearl Harbor, bon nombre des navires américains sont envoyés dans le Pacifique pour faire face à cette nouvelle menace. Ceci affaiblit malheureusement les défenses anti-sous-marins dans l'Atlantique.

Au début de 1942, la bataille de l'Atlantique se déplace en direction des côtes de l'Amérique du Nord. L'ennemi détruit les caboteurs depuis la mer des Antilles jusqu'à Halifax et pénètre même dans le golfe du Saint-Laurent. Les attaques allemandes connaissent un succès dévastateur et plus de 200 navires qui étaient pour la plupart, des pétroliers sont coulés à dix milles des côtes canadiennes ou américaines. Les autorités navales américaines s'étant rendues compte des avantages des convois, ont fait appel à la flotte canadienne, pourtant petite et déjà surchargée, pour protéger les navires se dirigeant vers le sud. Le service naval canadien, qui compte 188 navires de guerre et 16,000 hommes en mer, assure maintenant près de la moitié des escortes de surface pour les convois allant de l'Amérique du Nord à la Grande-Bretagne. Le CARC, qui compte huit escadrilles de patrouille maritime et 78 appareils de la côte Atlantique, s'occupe de plus en plus de surveillance aérienne dans le nord-ouest de l'Atlantique.

On n'arrive toujours pas à assurer une protection suffisante pour les convois. À l'hiver de 1942-43, la situation est désespérée. Les sous-marins allemands, qui opèrent librement à partir de bases situées dans le golfe de Gascogne, augmentent en nombre et les attaques se multiplient. Même si les navires canadiens connaissent quatre victoires à l'été de 1942, rien cet hiver-là ne peut compenser les pertes énormes subies par les convois.

Les Canadiens sont bien au courant des graves problèmes que comportent leurs opérations. Leurs navires et leur matériel sont insuffisants. Les avions se sont avérés précieux dans la lutte contre les sous-marins, mais les escadrilles du secteur est du CARC ne disposent d'aucun appareil qui soit véritablement à longue portée. En conséquence, les sous-marins allemands peuvent attaquer plus ou moins librement dans un certain secteur du milieu de

*Grenade sous-marine lancée dans les airs par la corvette Pictou pendant une attaque de sous-marins, mars 1942. (Archives publiques Canada PA-116838)*

l'Atlantique connu comme le *"Black Pit"*. En outre, bien qu'il n'y ait que très peu de navires américains dans l'Atlantique, la force d'escorte de Terre-Neuve demeure sous commandement américain.

La situation très difficile de la guerre de l'Atlantique aboutit à une conférence sur les convois de l'Atlantique en mars 1943. Les Britanniques, les Américains et les Canadiens y participent. Il est convenu que la Grande-Bretagne et le Canada se partageront la responsabilité de l'Atlantique Nord. Le contre-amiral Murray reçoit le commandement direct du secteur de l'Atlantique limité par une ligne allant vers l'est à partir de New York et vers le sud à partir du Groënland le long du 47$^{e}$ méridien ouest. La nomination d'un Canadien à ce poste clé, celui de commandant en chef du nord-ouest Atlantique canadien, illustre de façon dramatique le rôle et le prestige accru de la MRC. Dans un monde divisé en secteurs opérationnels, Murray devient le seul Canadien à assumer de telles responsabilités.

L'amélioration de la formation, de la protection aérienne et du matériel permettent de renverser la situation de la guerre des convois en 1943. En mai, le CARC acquiert de la Grande-Bretagne certains des bombardiers Liberator à longue portée dont il a besoin pour couvrir le milieu de l'Océan et de nouveaux navires d'escorte, avec un équipement modernisé, permettent la constitution de puissants groupes de soutien. S'ajoutant à l'amélioration de la formation, ceci permet aux Alliés de prendre l'avance dans l'Atlantique.

La bataille de l'Atlantique se poursuit jusqu'à la fin de la guerre. À certains moments, notamment à l'automne de 1943 et de 1944, la situation redevient dangereuse. Les sous-marins allemands, munis d'un matériel nouveau, par exemple la torpille acoustique et le schnorkel, redonnent pendant un certain temps l'avantage aux sous-marins; et en mars 1945, la marine allemande dispose de 463 sous-marins en patrouille, en comparaison de 27 en 1939.

Pourtant, le CARC et la MRC ont réussi à renverser la situation dans leur secteur de l'Atlantique. De plus en plus de marins canadiens traversent l'Atlantique pour livrer bataille plus près de l'ennemi. À leur retour dans les eaux britanniques, les hommes des deux armes canadiennes font la preuve des avantages que donnent une bonne formation et une dure expérience.

## La marche de la conquête

L'année 1941 verra la guerre encercler le globe; ce sera la mise sur pied de la grande alliance entre la Grande-Bretagne, la Russie et les États-Unis contre les puissances de l'Axe — l'Allemagne, l'Italie et le Japon.

À l'automne de 1940, pendant que la bataille de Grande-Bretagne fait encore rage, le dictateur italien, Mussolini, entrevoit une occasion de conquête. Le 13 septembre 1940, il envahit l'Égypte pour s'assurer la maîtrise du canal de Suez; un mois plus tard, il attaque sans provocation la Grèce et porte ainsi la guerre dans les Balkans. Les armées italiennes sont tenues en échec jusqu'en mars 1941, moment où le haut commandement allemand vient à l'aide de son partenaire de l'Axe. Des troupes allemandes d'élite marchent sur les Balkans. La Yougoslavie est envahie en quelques semaines et les Grecs, malgré l'aide d'une petite force du Commonwealth, sont bientôt vaincus. *L'Afrikakorps*, sous le maréchal Erwin Rommel, est envoyé en Libye où il force les britanniques à se replier en Égypte, avec de lourdes pertes.

Puis, le 22 juin 1941, l'Allemagne envahit la Russie. Les armées d'Hitler montent contre l'Union soviétique une attaque massive et brutale. Au total, Hitler lance presque trois millions d'hommes, avec des milliers de chars et d'avions, pour détruire son ancien allié. Les armées allemandes remportent des victoires spectaculaires dans une offensive qui les amène presque à Moscou. Cependant, les Russes combattent avec acharnement, aidés par l'immensité de leur pays et les rigueurs de l'hiver. Malgré leurs premiers succès, les armées allemandes sont arrêtées en décembre 1941.

De l'autre côté du globe, la guerre se prépare aussi, car le Japon est décidé à se lancer sur le chemin de la conquête. Le 7 décembre 1941, sans avertissement, les Japonais attaquent la flotte américaine à Pearl Harbor aux îles hawaïennes. Les États-Unis déclarent la guerre au Japon et à l'Allemagne et la puissance des États-Unis se joindra maintenant à la cause alliée.

# La défense de Hong Kong

C'est contre le Japon, pour la défense de Hong Kong, que les soldats canadiens allèrent pour la première fois au combat pendant la Seconde Guerre mondiale.

À mesure que montait la tension dans le Pacifique, la vulnérabilité du poste de Hong Kong devenait de plus en plus apparente. On se rendait compte que, dans le cas d'une guerre avec le Japon, on ne pourrait ni tenir la colonie, ni la secourir. Hong Kong serait donc considéré comme un avant-poste à tenir le plus longtemps possible, mais sans autre renfort. On revient sur cette décision à la fin de 1941, d'aucuns ayant fait valoir que des renforts serviraient à décourager des mesures hostiles de la part des Japonais et auraient également un effet moral important dans l'Extrême-Orient. C'est pourquoi on demanda au Canada de fournir un ou deux bataillons.

Les *Royal Rifles of Canada* et les *Winnipeg Grenadiers*, sous le commandement du brigadier J.K. Lawson, s'embarquaient de Vancouver le 27 octobre 1941. Ces unités canadiennes n'avaient pas reçu l'entraînement de troupes de première ligne, mais la

*Le contingent canadien à Hong Kong, 1941. (Archives publiques Canada C-49744)*

guerre avec le Japon ne paraissant pas imminente, on croyait qu'elles allaient à Hong Kong en garnison. Tragiquement, dans quelques semaines, ces soldats allaient devenir les premières unités canadiennes à combattre dans la Seconde Guerre mondiale, car, par des attaques presque simultanées sur Pearl Harbor, la Malaisie du Nord, les Philippines, Guam, l'île de Wake et Hong Kong, le Japon déclarait la guerre dans le Pacifique.

La colonie de la Couronne de Hong Kong comprend l'île de Hong Kong et, sur la terre ferme, la péninsule de Kowloon et les "Territoires nouveaux". En 1941, les Japonais contrôlent une bonne partie de la zone qui s'étend au nord de la frontière entre les Territoires nouveaux et la Chine.

Pour défendre la colonie, le major général C.M. Maltby, commandant de Hong Kong, ne dispose que de quelque 14,000 hommes, dont des marins et des aviateurs et beaucoup de non-combattants. Ces forces militaires comprennent des régiments britanniques, canadiens et indiens de même que le Corps volontaire de défense de Hong Kong. En outre, la défense de Hong Kong devra se faire sans forces aériennes ou navales importantes. La base de la *RAF* à Kai Tak, à Hong Kong, ne dispose que de cinq avions, de sept officiers et de 108 aviateurs. Pour trouver une base entièrement opérationnelle de la *RAF*, il faut aller jusqu'en Malaisie, à près de 1,400 milles. La défense navale de Hong Kong n'est guère plus imposante. Tous les principaux bâtiments de guerre ont été retirés, et il ne reste qu'un destroyer, plusieurs canonières et une flotille de vedettes-torpilleurs à moteur.

L'attaque japonaise, cependant, ne prend pas la garnison par surprise car, en dépit de l'optimisme, on n'a rien laissé au hasard. Les forces de défense sont en état d'alerte. Trois bataillons prendront position à la ligne *Gin Drinker's*, longue de dix milles qui traverse un relief vallonné et accidenté et comporte des tranchées et des casemates. Cette position protègera Kowloon, le port et la partie nord de l'île de Hong Kong du feu d'artillerie venant de la terre ferme, à moins que l'ennemi ne lance une offensive majeure. Si cela se produit, les positions sur la terre ferme assureront

suffisamment de temps pour terminer les démolitions, transporter les approvisionnements d'importance vitale et couler les navires dans le port. Le reste des forces se concentrera dans l'île pour la défendre contre toute attaque japonaise venue de la mer.

### L'invasion

Le matin du 7* décembre, toute la garnison reçoit l'ordre d'occuper ses postes de combat. À 8 h le 8 décembre, l'aviation japonaise atteint son premier objectif à Hong Kong, l'aéroport de Kai Tak et détruit ou endommage tous les appareils de la *RAF*.

Au point du jour, les forces terrestres japonaises traversent la frontière des Territoires nouveaux où ils rencontrent l'avant-garde de la brigade continentale. Sous la pression de l'ennemi, tout en infligeant un certain nombre de pertes et en procédant à des démolitions, ces unités doivent se replier sur la ligne *Gin Drinker's*. Dans la nuit du 9 au 10 décembre, les Japonais capturent une position-clé, la Redoute de Shing Mun. Pendant la nuit, la compagnie "D" des *Winnipeg Grenadiers* est envoyée sur la terre ferme pour renforcer ce secteur. Cette compagnie participe à certains combats le 11, devenant ainsi la première sous-unité de l'armée canadienne à combattre dans la Seconde Guerre mondiale. De nouvelles attaques japonaises rendent la ligne *Gin Drinker's* impossible à tenir et les troupes du continent reçoivent l'ordre de se replier sur leurs positions de défense sur l'île.

Le 13 décembre, les Japonais demandent la reddition de Hong Kong mais se heurtent à un refus catégorique.

### La défense de l'île.

Sur l'île, les forces de défense sont réorganisées en deux brigades; la brigade de l'ouest sous le commandement du brigadier Lawson, qui comprend les *Winnipeg Grenadiers* et la brigade de l'est, sous le commandement du brigadier C. Wallis, qui comprend les *Royal Rifles of Canada*. Les bataillons canadiens se trouvent donc séparés et l'un d'entre eux n'est plus sous le commandement de Lawson. Les deux unités canadiennes sont déployées pour assurer la défense des plages du sud où le général Maltby craint une attaque par mer.

*L'hôtel Repulse-Bay, théâtre de la bataille où combattirent les Royal Rifles of Canada du 20 au 22 décembre 1941. (Archives publiques Canada PA-114819)*

Pour diminuer la résistance des défenseurs, l'ennemi lance un fort feu d'artillerie contre l'île, organise des raids aériens de destruction et pilonne systématiquement les casemates de la côte nord. Puis, le 17 décembre, les Japonais réitèrent leur demande de reddition. Le refus est encore catégorique, mais la défaite de la Colonie n'est plus qu'une question de temps. Deux navires britanniques importants ayant été coulés au large de la Malaisie et la flotte américaine ayant été presque entièrement mise hors d'action à Pearl Harbor, il n'y a aucun espoir de secours. Les défenseurs attendent l'assaut dans l'isolement le plus complet.

* Le 6 décembre en Amérique du Nord. Les dates données dans cette section sont les dates locales de Hong Kong.

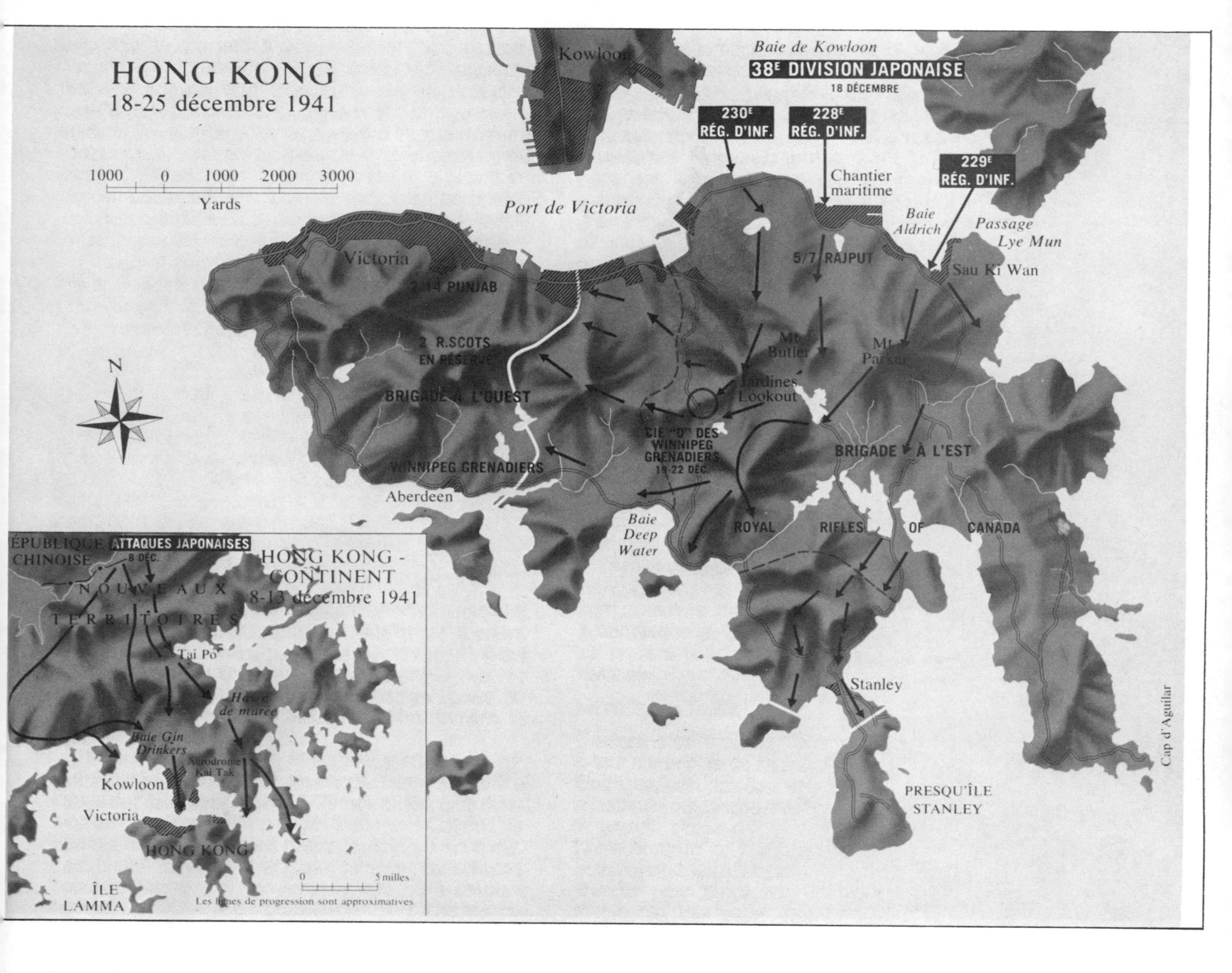


Avances japonaises (flèches noires).
Positions britanniques, le 19 décembre (lignes discontinues).
Positions britanniques, le 25 décembre (lignes blanches).

L'invasion de l'île se produit à la tombée de la nuit le 18 décembre. L'ennemi commence à traverser le détroit en son point le plus étroit, le passage de Lye Mun, dans des embarcations d'assaut, des péniches de débarquement et des petits bateaux remorqués par des bacs à vapeur. Il débarque en grand nombre sur un front d'environ deux milles sous le feu des mitrailleuses des défenseurs, qui occupent les casemates. Une fois sur le rivage, les forces japonaises se déploient vers l'est et vers l'ouest et remontent les vallées en direction des hauteurs. C'est ici que les *Royal Rifles* entrent en action contre les forces d'invasion. La force de l'assaut est écrasante et au matin du 19, les Japonais sont rendus aux cols de Wong Nei Chong et Tai Tam.

Les troupes japonaises, bien aguerries, sont soutenues par une puissante artillerie, la maîtrise totale des airs et l'assurance que des renforts sont facilement disponibles. Au contraire, les défenseurs alliés, qui n'ont que l'expérience de la vie de garnison, sont épuisés par le bombardement continuel et plusieurs jours d'action continue, et n'ont aucun espoir de secours. Seule leur bravoure leur permettra de résister aux Japonais jusqu'à Noël.

L'ennemi étant bien établi sur les hauteurs, la brigade de l'est reçoit l'ordre de se replier vers le sud en direction de la péninsule Stanley où l'on espère effectuer une concentration de la défense. À la tombée de la nuit, le 19, une nouvelle ligne est établie mais, malheureusement, des pièces entièrement nécessaires d'artillerie de campagne ont été détruites pendant la retraite. Ce qui est pis encore, les brigades de l'est et de l'ouest ont été séparées lorsque les Japonais ont percé la défense après avoir atteint la mer à Repulse Bay.

*Le Prince Robert à côté de la jetée pendant la libération de Hong Kong, août 1945. (Archives publiques Canada PA-114813)*

La brigade de l'est a maintenant subi des pertes importantes, car le bataillon indien Rajput a été décimé alors qu'il combattait vaillamment les forces de débarquement. Les *Royal Rifles* sont épuisés. Pourtant, au cours des trois prochains jours, ces hommes tenteront vaillamment une poussée vers le nord, sur un terrain rude et accidenté, pour rejoindre la brigade de l'ouest et pour déloger les Japonais des hauteurs.

La poussée vers le nord doit cependant être abandonnée et le 23 décembre, les troupes épuisées et décimées reçoivent l'ordre de se replier sur la péninsule Stanley. Face à une pression accrue de la part des Japonais, le jour de Noël, les *Royal Rifles* se livrent à une dernière contre-attaque. Celle-ci échoue, avec de lourdes pertes.

Pendant ce temps, les *Winnipeg Grenadiers* ont aussi été lancés rapidement en action avec la brigade de l'ouest. Lors du débarquement ennemi, le soir du 18 décembre, deux pelotons du bataillon sont déployés en vue de s'emparer des hauteurs connues sous le nom de *Jardine's Lookout* et de Mont Butler, où ils livrent de durs combats. Écrasés par le nombre, ils sont taillés en pièces et les deux commandants sont tués. D'autres tentatives en vue de dégager les hauteurs se soldent également par un échec.

Le 19 décembre, le brigadier Lawson perd la vie après avoir bravement décidé de lutter jusqu'au bout alors que l'ennemi encerclait son quartier général de la brigade de l'ouest.

Pendant ce temps, une des compagnies des *Grenadiers* conserve sa position près du col Wong Nei Chong d'où elle commande la seule route principale nord-sud à travers l'île. Les *Grenadiers* infligent de lourdes pertes à l'ennemi et retardent de trois jours l'avance japonaise. Les Canadiens tiennent jusqu'au matin du 22 décembre; ils sont épuisés, à court de munitions, de vivres et d'eau et les Japonais ont fait sauter les volets d'acier des abris. C'est alors seulement qu'ils se rendent.

La dernière bataille dans la partie ouest de l'île consiste en une tentative valeureuse de maintenir une ligne ininterrompue entre le port de Victoria et la côte sud. C'est peine perdue. Les positions alliées sont prises et les défenseurs doivent se rendre.

À 15 h 15, le jour de Noël, le général Maltby prévient le gouverneur que toute résistance est inutile. Après dix-sept jours et demi de combat, la défense de Hong Kong prend fin.

### Les répercussions

La bataille de Hong Kong se soldait pour le Canada par des pertes tragiques: 290 morts et 493 blessés. La mort ne termina pas son oeuvre avec la reddition. Les Canadiens ont été emprisonnés à Hong Kong et au Japon dans les pires conditions; ils ont subi des brutalités et une quasi-famine. Bon nombre d'entre eux n'ont pas survécu. Au total, plus de 550 des 1,975 Canadiens qui avaient quitté le port de Vancouver en octobre 1941 ne sont jamais revenus.

## La Première Armée canadienne

Les Forces canadiennes en Angleterre ont connu une croissance régulière depuis que les soldats de la 1re Division canadienne d'infanterie ont débarqué en décembre 1939. La 2e Division canadienne d'infanterie est arrivée à l'été et à l'automne de 1940 et la 3e Division canadienne d'infanterie a été envoyée outre-mer en 1941. Ces premières unités appartenaient surtout à l'infanterie, mais elles ont été suivies par deux divisions blindées et deux brigades blindées. Ces nouvelles troupes exigeaient des modifications hiérarchiques. C'est pourquoi, au début de 1942, on constitue la Première Armée canadienne, composée de deux corps, sous le commandement d'un Canadien, le lieutenant-général A.G.L. McNaughton. En 1943, il sera remplacé par un autre Canadien, le lieutenant-général H.D.G. Crerar.

Le rôle de la Première Armée canadienne se modifie également. Les quelques premiers mois ont été occupés par des préparatifs intensifs en vue d'une invasion imminente qui, heureusement, ne s'est pas produite; ensuite, les troupes doivent se résigner à une longue période d'attente. Elles attendent et s'entraînent pour le moment où elles prendront la tête d'une attaque alliée destinée à reprendre le continent. La routine n'est interrompue qu'à de rares moments. Une petite expédition canado-britannique est envoyée à Spitzbergen au nord du cercle polaire; et des sapeurs-mineurs canadiens sont envoyés renforcer les défenses de Gibraltar. En avril 1942, c'est l'échec d'un petit raid contre Boulogne.

Le premier contact majeur avec l'ennemi s'est produit de l'autre côté du monde, à Hong Kong, et s'est soldé par un désastre. Le prochain contact important aura également des résultats catastrophiques: les Canadiens constitueront la principale force d'assaut pour le raid sur Dieppe.

## Le raid de Dieppe

Au printemps de 1942, la situation des Alliés est peu rassurante. Les Allemands ont pénétré profondément en Russie, la 8e Armée britannique en Afrique du Nord a dû se replier sur l'Egypte et en Europe de l'Ouest, les forces alliées et les Allemands ne sont séparés que par la Manche.

Puisque l'heure n'est pas encore venue d'entreprendre l'opération *Overlord*, la grande invasion de l'Europe de l'Ouest, on convient d'organiser un raid important contre le port français de Dieppe. Il s'agit d'entretenir chez les Allemands la peur d'une attaque à l'ouest et de les pousser à renforcer les défenses de la Manche aux dépens des autres fronts; le raid donnera également une occasion de mettre à l'essai un nouveau matériel et de nouvelles techniques et fournira l'expérience et les connaissances nécessaires pour préparer la grande attaque amphibie.

On prépare donc les plans d'un raid à grande échelle qui aura lieu en juillet 1942. Le Canada fournira le gros des troupes d'attaque, et le 20 mai les troupes de la 2e Division d'infanterie canadienne entreprennent à l'île de Wight un entraînement intensif en vue des opérations amphibies. En juillet, le mauvais temps empêche de déclencher le raid et certains soutiennent qu'il faut y renoncer. Cependant, au bout de quelques semaines, le plan d'action est repris sous le nom de code *Jubilee*. L'objectif demeure toujours le port de Dieppe sur la côte française.

L'attaque sur Dieppe a lieu le 19 août 1942. En tout, 6,000 hommes y participent, dont 5,000 Canadiens, les autres étant des commandos britanniques et 50 *American Rangers*. Les forces d'appui comprennent quatre destroyers de la Marine royale et 74 escadrilles aériennes alliées, dont huit appartiennent au CARC. Le major général J.H. Roberts, officier général commandant de la 2e Division canadienne, est nommé chef de l'armée, le commandant J. Hughes-Hallett, de la Marine royale, chef des forces navales et le vice-maréchal de l'air T.L. Leigh-Mallory, chef des forces aériennes.

Le plan prévoit des attaques en cinq points différents, sur un front d'une dizaine de milles. Quatre débarquements de flanc simultanés doivent avoir lieu à l'aurore, suivis une demi-heure plus tard de l'attaque principale contre la ville de Dieppe elle-même. Ce sont les Canadiens qui sont chargés de l'attaque de front; ils doivent également débarquer à Puys, à deux milles et demi à l'ouest, et à Pourville à l'est. Les commandos britanniques doivent détruire les batteries côtières à Berneval, sur le flanc est, et à Varengeville à l'ouest.

Aux petites heures, le 19 août, les forces de débarquement approchent de la côte de France; tout à coup, les péniches de débarquement du secteur est rencontrent un petit convoi allemand. Le bruit du bref et violent combat naval qui s'ensuit alerte les défenses côtières, particulièrement à Berneval et à Puys; les chances de succès sont bien minces dans le secteur est. Les péniches qui transportent le Commando n° 3 sont éparpillées et la plupart des troupes n'arrivent pas à débarquer. Les soldats qui arrivent à le faire sont rapidement débordés. Une vingtaine de commandos réussit à s'approcher à deux cents verges de la batterie; leur tir précis neutralise la batterie qui, pendant deux heures et demie d'une importance capitale, ne peut pas diriger le feu de ses canons contre les navires d'assauts; ils sont ensuite évacués.

À Puys, le *Royal Regiment of Canada* partage cette malchance. La plage est extrêmement étroite, commandée par des falaises élevées où les soldats allemands sont stratégiquement déployés. Le succès exigerait la surprise et l'obscurité, qui font toutes deux défaut. Les bâtiments de marine sont retardés et lorsque les soldats du *Royal Regiment* sautent sur une plage, ils sont accueillis par un violent tir de mitrailleuses, à la lumière du jour qui se lève. Seuls quelques hommes réussissent à franchir le fort réseau de barbelés sur la digue à la tête de la plage; ils ne reviendront pas. Le reste des troupes, avec trois pelotons de renfort du *Black Watch (Royal Highland Regiment)* sont immobilisés sur la plage par le feu des mortiers et des mitrailleuses et sont finalement obligés de se rendre. Sous le feu des Allemands, l'évacuation est impossible. Parmi les soldats débarqués, 200 sont tués et 20 mourront plus tard de leurs blessures; le reste est fait prisonnier. Ce sont là les plus lourdes pertes

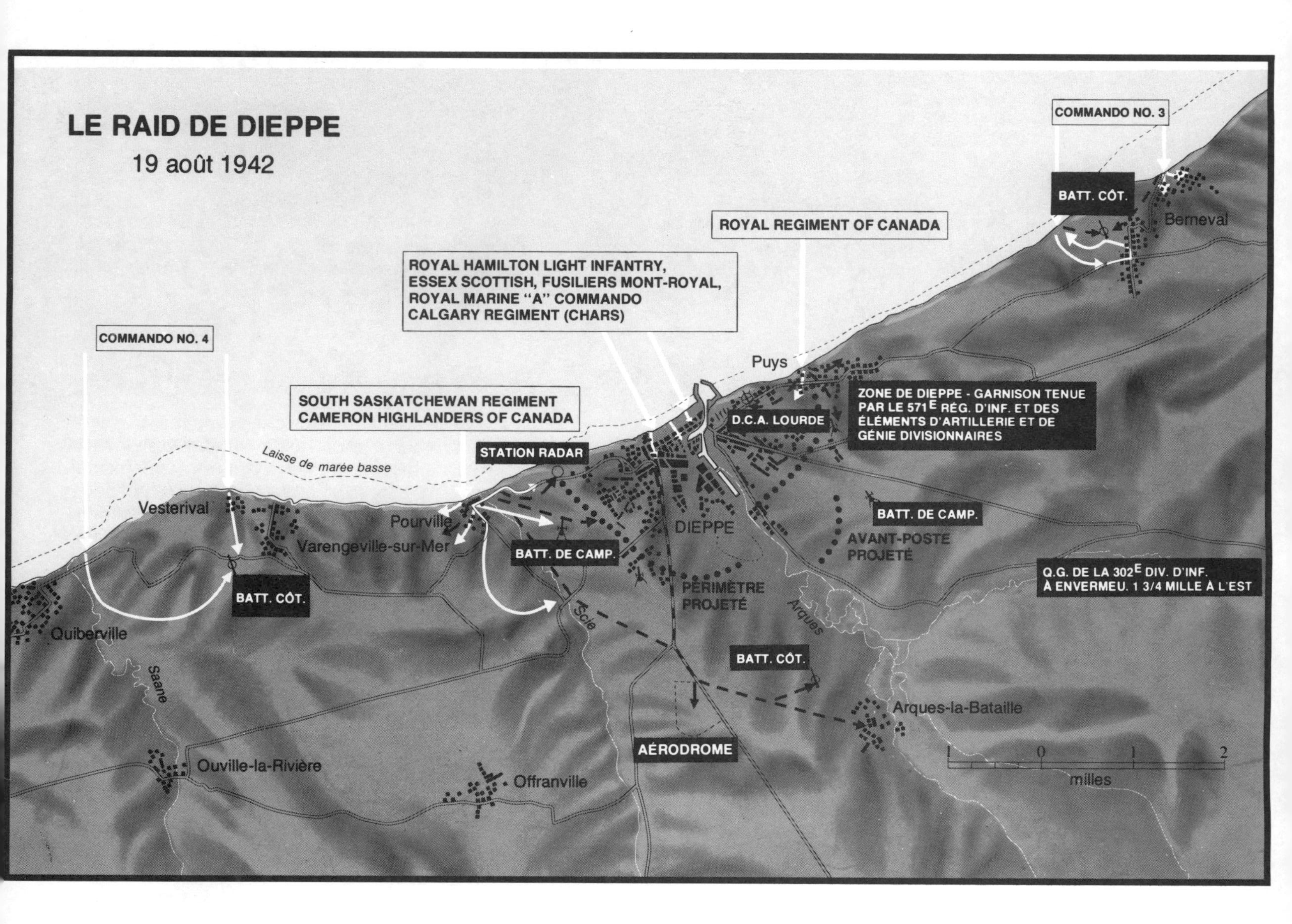
LE RAID DE DIEPPE
19 août 1942
COMMANDO NO. 3
BATT. CÔT.
Berneval
ROYAL REGIMENT OF CANADA
ROYAL HAMILTON LIGHT INFANTRY, ESSEX SCOTTISH, FUSILIERS MONT-ROYAL, ROYAL MARINE "A" COMMANDO
CALGARY REGIMENT (CHARS)
COMMANDO NO. 4
Puys
ZONE DE DIEPPE - GARNISON TENUE PAR LE 571E RÉG. D'INF. ET DES ÉLÉMENTS D'ARTILLERIE ET DE GÉNIE DIVISIONNAIRES
D.C.A. LOURDE
SOUTH SASKATCHEWAN REGIMENT
CAMERON HIGHLANDERS OF CANADA
STATION RADAR
Laisse de marée basse
Vesterival
Pourville
Varengeville-sur-Mer
BATT. DE CAMP.
DIEPPE
BATT. DE CAMP.
AVANT-POSTE PROJETÉ
Q.G. DE LA 302E DIV. D'INF. À ENVERMEU. 1 3/4 MILLE À L'EST
BATT. CÔT.
PÉRIMÈTRE PROJETÉ
Quiberville
Scie
Arques
BATT. CÔT.
Saane
Arques-la-Bataille
1
0
1
2
milles
AÉRODROME
Ouville-la-Rivière
Offranville

subies par un bataillon canadien en une même journée au cours de toute la guerre. Le promontoire est n'ayant pas été dégagé, les Allemands peuvent prendre les plages de Dieppe en enfilade et neutraliser l'attaque frontale principale.

Entretemps, dans le secteur ouest, l'effet de surprise n'est pas complètement perdu. Alors que le Commando n° 3 n'a connu que des malheurs sur le flanc est, l'opération du n° 4 réussit parfaitement. Conformément au plan, le Commando débarque, détruit les canons de la batterie située près de Varengeville et se retire sans encombre.

À Pourville, les Canadiens ont le bonheur de réussir une certaine surprise; en débarquant sur les plages, le *South Saskatchewan Regiment* et le *Cameron Highlanders of Canada* ne rencontrent qu'une légère résistance. Celle-ci s'affermit cependant au moment où ils traversent la rivière Scie et se lancent en direction de Dieppe. De durs combats s'engagent alors; les soldats du *South Saskatchewan* et ceux du *Cameron* qui les appuient sont arrêtés bien avant d'atteindre la ville. Le gros des *Camerons* s'avance vers son objectif, un aérodrome intérieur, et franchit environ deux milles avant d'être obligé de s'arrêter.

Les Canadiens subissent de lourdes pertes pendant la retraite, l'ennemi faisant porter un feu nourri sur la plage à partir des hauteurs à l'est et à l'ouest de Pourville. Cependant, les péniches de débarquement bravent l'enfer de feu pour venir au rendez-vous; grâce à l'appui d'une vaillante arrière-garde, le gros des deux unités réussit à s'embarquer, bien que bon nombre des hommes soient blessés. Il sera malheureusement impossible de ramener l'arrière-garde; les munitions faisant défaut et toute autre évacuation étant impossible, elle se rendra.

L'attaque principale doit traverser la plage de galets devant Dieppe et avoir lieu une demi-heure après les débarquements des flancs. Embusqués sur la falaise et dans les fenêtres des bâtiments qui surplombent la promenade, les soldats allemands attendent. Dès que les hommes du *Essex Scottish Regiment* attaquent le secteur est, l'ennemi balaye la plage d'un feu de mitrailleuses. Toutes les tentatives de franchir la digue sont repoussées avec de lourdes pertes. Un petit groupe ayant réussi à s'infiltrer dans la ville, et à la suite de rapports trompeurs reçus à bord du navire de commandement, à l'effet que le *Essex Scottish* avançait, on fait entrer en action le bataillon de réserve des Fusiliers Mont-Royal. Comme leurs camarades débarqués plus tôt, ils se trouvent immobilisés sur la plage et exposés au feu nourri de l'ennemi.

Le *Royal Hamilton Light Infantry* débarque à l'extrémité ouest de la promenade, vis-à-vis un grand casino isolé. Ils réussissent à dégager ce bâtiment,

◀ *La plage de Dieppe, face au nord. (Photo par J. Ough, Office national du film, 1972)*

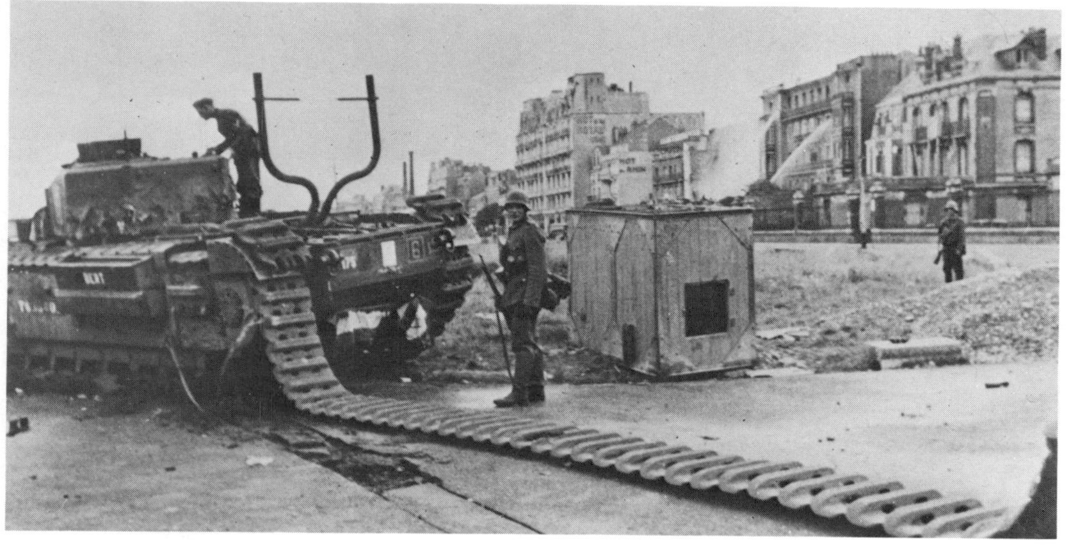

*Un char Churchill du Régiment de Calgary à Dieppe. (Archives publiques Canada C-29872)*

*Officier canadien blessé de retour en Angleterre après le raid de Dieppe. (Archives publiques Canada 8225-N)*

pourtant fortement défendu, ainsi que les abris de mitrailleuses; certains des hommes de ce bataillon traversent le boulevard, sous une pluie de balles, et pénètrent dans la ville où ils livrent de violents combats de rue.

Le malheur s'acharne aussi sur le débarquement des chars du *Calgary Regiment*. Ils devaient suivre un bombardement aérien et naval, mais ils débarquent de dix à quinze minutes en retard, laissant l'infanterie sans soutien pendant les premières minutes de l'attaque, les plus critiques. En débarquant, les chars sont accueillis par un feu d'enfer et s'immobilisent — arrêtés non seulement par les canons ennemis, mais aussi par les galets et la digue. Ceux qui réussissent à passer la digue se heurtent aux barricades de béton qui bloquent les rues étroites. Néanmoins, les chars immobilisés continuent à se battre, soutenant l'infanterie et contribuant beaucoup à la retraite d'un grand nombre de soldats; les équipages des chars seront faits prisonniers ou mourront au combat.

Les derniers soldats à débarquer font partie du Commando "A" de la Marine royale; ils partagent le sort terrible des autres Canadiens, subissant de très lourdes pertes sans pouvoir accomplir leur mission.

Le raid donne lieu à un formidable combat aérien. L'aviation alliée peut s'acquitter de sa mission qui était de protéger la flotte de débarquement au large de

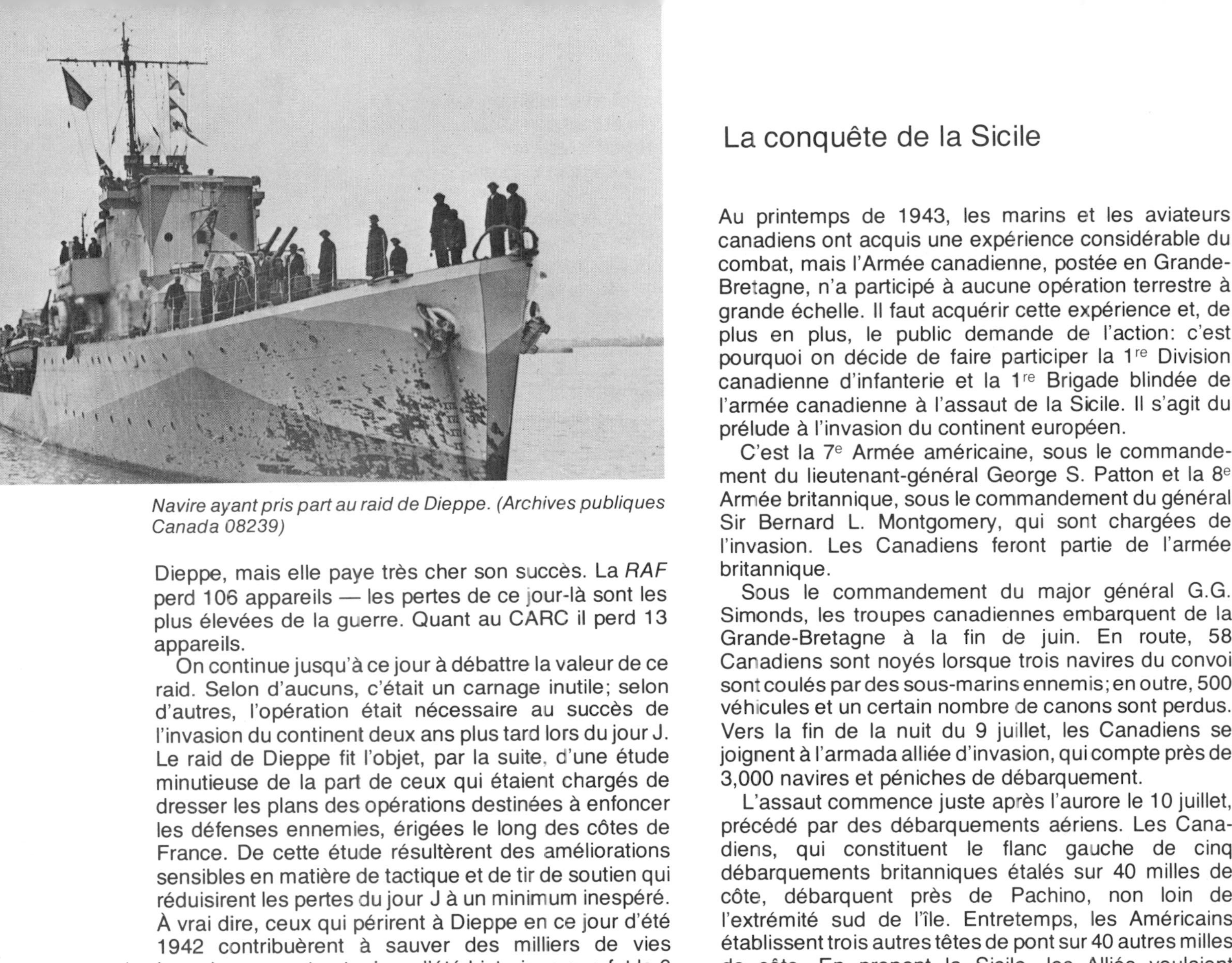

*Navire ayant pris part au raid de Dieppe. (Archives publiques Canada 08239)*

Dieppe, mais elle paye très cher son succès. La *RAF* perd 106 appareils — les pertes de ce jour-là sont les plus élevées de la guerre. Quant au CARC il perd 13 appareils.

On continue jusqu'à ce jour à débattre la valeur de ce raid. Selon d'aucuns, c'était un carnage inutile; selon d'autres, l'opération était nécessaire au succès de l'invasion du continent deux ans plus tard lors du jour J. Le raid de Dieppe fit l'objet, par la suite, d'une étude minutieuse de la part de ceux qui étaient chargés de dresser les plans des opérations destinées à enfoncer les défenses ennemies, érigées le long des côtes de France. De cette étude résultèrent des améliorations sensibles en matière de tactique et de tir de soutien qui réduisirent les pertes du jour J à un minimum inespéré. À vrai dire, ceux qui périrent à Dieppe en ce jour d'été 1942 contribuèrent à sauver des milliers de vies humaines en cet autre jour d'été historique que fut le 6 juin 1944. Il ne fait aucun doute que l'on a pu tirer des leçons précieuses de ce terrible matin du 19 août 1942, mais à quel prix! Sur les 4,963 Canadiens qui se sont embarqués pour cette opération, seuls 2,210 sont revenus en Angleterre, et bon nombre d'entre eux étaient blessés. Les pertes s'élevaient à 3,367, dont 1,946 prisonniers de guerre; 907 Canadiens ont donné leur vie à Dieppe.



## La conquête de la Sicile

Au printemps de 1943, les marins et les aviateurs canadiens ont acquis une expérience considérable du combat, mais l'Armée canadienne, postée en Grande-Bretagne, n'a participé à aucune opération terrestre à grande échelle. Il faut acquérir cette expérience et, de plus en plus, le public demande de l'action: c'est pourquoi on décide de faire participer la 1^re^ Division canadienne d'infanterie et la 1^re^ Brigade blindée de l'armée canadienne à l'assaut de la Sicile. Il s'agit du prélude à l'invasion du continent européen.

C'est la 7^e^ Armée américaine, sous le commandement du lieutenant-général George S. Patton et la 8^e^ Armée britannique, sous le commandement du général Sir Bernard L. Montgomery, qui sont chargées de l'invasion. Les Canadiens feront partie de l'armée britannique.

Sous le commandement du major général G.G. Simonds, les troupes canadiennes embarquent de la Grande-Bretagne à la fin de juin. En route, 58 Canadiens sont noyés lorsque trois navires du convoi sont coulés par des sous-marins ennemis; en outre, 500 véhicules et un certain nombre de canons sont perdus. Vers la fin de la nuit du 9 juillet, les Canadiens se joignent à l'armada alliée d'invasion, qui compte près de 3,000 navires et péniches de débarquement.

L'assaut commence juste après l'aurore le 10 juillet, précédé par des débarquements aériens. Les Canadiens, qui constituent le flanc gauche de cinq débarquements britanniques étalés sur 40 milles de côte, débarquent près de Pachino, non loin de l'extrémité sud de l'île. Entretemps, les Américains établissent trois autres têtes de pont sur 40 autres milles de côte. En prenant la Sicile, les Alliés voulaient également prendre au piège les armées allemandes et italiennes et leur couper la retraite par le détroit de Messine.

À partir des plages de Pachino, où la résistance des troupes côtières italiennes a été légère, les Canadiens avancent, à travers une poussière étouffante, sur des routes tortueuses et remplies de mines. Tout va bien au début, mais la résistance se durcit tandis que les

Canadiens sont de plus en plus engagés avec les troupes allemandes, bien décidées, qui combattent durement pour les retarder depuis des villages situés sur des hauteurs et des positions quasi imprenables dans les collines. Le 15 juillet, tout près du village de Grammichele, ils essuient le feu des Allemands de la division Hermann Goering. Le village est pris par les hommes de la 1re Brigade d'infanterie et les chars du Régiment de Trois-Rivières.

Piazza Armenia et Valguarnera tombent coup sur coup en deux jours; ensuite, les Canadiens s'attaquent aux villes de Leonforte et Assora dans les collines. Les avantages que confère à la défensive le terrain montagneux signifient des combats très durs, mais les deux villes tombent aux mains des Canadiens. Suivent des combats encore plus durs, car les Allemands se retranchent sur la route d'Agira. Trois attaques successives sont repoussées avant qu'une nouvelle brigade, avec un fort soutien de l'artillerie et de l'aviation, ne réussisse à déloger l'ennemi. Le 28 juillet, après cinq jours de durs combats et de lourdes pertes, Agira est prise.

Pendant ce temps, les Américains dégagent la partie ouest de l'île et les Britanniques remontent la côte est en direction de Catania. Ces opérations poussent les Allemands dans un petit secteur autour de la base de l'Etna où Catenanuova et Regalbuto sont capturées par les Canadiens.

La dernière tâche des Canadiens est d'enfoncer la principale position ennemie et de capturer Adrano. Ici encore, les Canadiens doivent lutter non seulement contre les armes, mais contre la nature. Il s'agit d'un pays accidenté, sans chemins; il faut donc des convois de mules pour amener les mortiers, les canons, les munitions et le reste du matériel. Cependant, combattant littéralement de rocher en rocher, les Canadiens avancent régulièrement contre les positions ennemies. Les approches d'Adrano étant dégagées, la voie est préparée pour la fin de la campagne sicilienne. Les Canadiens, passés aux forces de réserve le 7 août, ne prennent pas part à cette dernière phase. Onze jours plus tard, les troupes britanniques et américaines pénètrent dans Messine. La Sicile a été conquise en 38 jours.

La campagne de Sicile a été un succès. Bien que bon nombre des forces ennemies aient réussi à se replier en

*Soins dispensés à des soldats canadiens blessés, au nord de Valguarnera, juillet 1943. (Archives publiques Canada PA-116846)*

*Régiment de Trois-Rivières conduisant des chars Sherman dans Agira. (Archives publiques Canada PA-116853)*

Italie par le détroit, l'opération a permis d'acquérir la base aérienne nécessaire pour appuyer la libération de l'Italie proprement dite. Elle a également libéré les voies maritimes de la Méditerranée et contribué à la chute de Mussolini, ce qui a permis à l'Italie, fatiguée de la guerre, de demander la paix.

Les Canadiens ont acccompli une grande tâche au cours de leur première campagne. La division a combattu sur 150 milles de terrain montagneux — plus loin que toute autre formation de la 8e Armée — et pendant les deux dernières semaines, elle a assumé une large part des combats au front de l'armée. Les pertes canadiennes s'élèvent à 562 tués, 664 blessés et 84 prisonniers de guerre.

La prochaine opération d'envergure sera l'invasion de l'Italie.

## Les Canadiens en Italie

Un des résultats de l'invasion alliée de la Sicile a été le renversement du dictateur italien, Mussolini. Cependant, bien que le nouveau gouvernement italien ait capitulé le 3 septembre 1943, les Allemands ont pris le pouvoir et ce sont les troupes allemandes que les Alliés devront combattre lorsqu'ils remonteront la péninsule italienne.

En Italie comme en Sicile, les combats seront très durs. Tirant parti des montagnes et des torrents, les Allemands rendront chaque avance alliée difficile et coûteuse. Le total des pertes canadiennes pour les 20 mois de la campagne de la Méditerranée (la Sicile et l'Italie) s'élèveront à 25,264, dont plus de 5,900 morts.

La 8e Armée britannique (qui comprend la 1re Division canadienne, la 5e Division britannique et la 1re Brigade blindée de l'armée canadienne) traversera la première le détroit de Messine pour atteindre le bout de la botte italienne, puis se dirigera vers Naples. La 5e Armée américaine (avec deux divisions britanniques et deux divisions américaines) débarquera par mer dans le Golfe de Salerne, prendra Naples et avancera sur Rome. La 1re Division aéroportée britannique débarquera par mer dans la région de Tarente et s'emparera du talon de la péninsule.

L'attaque par le détroit de Messine commence le 3 septembre 1943. Les Canadiens, qui se dirigent sur Reggio de Calabre, rencontrent peu de résistance, puisque les Allemands se sont repliés et ont établi leur ligne de défense dans la partie étroite et montagneuse du centre de la péninsule. Les Canadiens prennent Reggio, avancent à travers la chaine des Aspromontes et le long du golfe de Tarente jusqu'à Catanzaro. Malgré la pluie, les routes de montagne en mauvais état et les combats d'arrière-garde des Allemands, ils sont à 75 milles à l'intérieur de Reggio au 10 septembre.

Pendant ce temps, la 5e Armée américaine a rencontré une dure résistance de la part des Allemands lorsqu'elle a attaqué les plages de Salerne. Il est donc vital que la 8e Armée arrive par derrière les Allemands et aide les Américains à sortir de la tête de pont. À cette fin, une brigade canadienne est détournée de la principale ligne canadienne pour prendre Potenza, centre routier important à l'est de Salerne. Potenza est prise le 20 septembre. Les Américains réussissent à sortir de la tête de pont et le 1er octobre, la 5e Armée entre dans Naples. Entretemps, la 1re Brigade canadienne d'infanterie avance vers l'est, rejoint la division aéroportée dans la région de Tarente et avance hardiment vers l'intérieur au nord et au nord-ouest. Le 5e Corps britannique prend l'aérodrome de Foggia.

À la fin de septembre, l'emprise des Allemands sur le nord et le centre de l'Italie demeure entière, mais les Alliés ont capturé un secteur vaste et important du sud de l'Italie et leur ligne traverse l'Italie d'une mer à l'autre. Le prochain objectif est Rome.

Alors que les Alliés avancent vers le nord depuis Naples et Foggia, les Canadiens se trouvent dans la chaîne de montagnes du centre du pays. Maintenant, l'ennemi résiste de toutes ses forces. Le 1er octobre, à Motta, les Canadiens participent à leur première bataille avec les Allemands en Italie; celle-ci est suivie d'une série de combats brefs mais sanglants. Le 14 octobre, les Canadiens prennent Campobasso, le lendemain Vinchiaturo et ils traversent le Biferno. Pendant ce temps, une unité de la brigade blindée de l'armée canadienne se distingue sur la côte de l'Adriatique où ils appuient un débarquement britannique à Termoli et son avance jusqu'au Sangro.

Dans les 63 jours écoulés depuis le débarquement, la 8e Armée a couvert 450 milles. Cependant, la poursuite de Reggio est maintenant terminée. Les Allemands, dont la force est maintenant presque égale à celle des Alliés et qui jouissent de l'avantage de la défense, ont décidé de se retrancher depuis la côte, au sud du mont Cassin sur la route Naples-Rome, jusqu'à Ortona sur la côte de l'Adriatique. Il ne sera pas facile de s'emparer de Rome.

Entretemps, on a décidé de renforcer les forces canadiennes dans la Méditerranée. Le 5 novembre, arrivent le Quartier général du 1er Corps canadien, sous le commandement du lieutenant-général H.D.G. Crerar

*Soldat canadien posté à un endroit d'où il peut facilement surveiller les mouvements éventuels de l'ennemi. Près de Colle D'Anchise (Italie), octobre 1943. (Archives publiques Canada 25980)*

*The Royal Canadian Regiment gravissant les collines situés entre Reggio et Terreti, septembre 1943. (Archives publiques Canada PA-116850)*

et la 5e Division blindée canadienne. C'est le général Simonds qui prend le commandement de cette dernière division; il est remplacé à la 1re Division par le major général C. Vokes. Le général McNaughton, qui s'est opposé à la division de l'armée canadienne, prendra sa retraite peu de temps après.

Alors que commence à tomber la première neige de l'hiver, la 8e Armée frappe un dur coup contre la ligne allemande le long du Sangro sur la côte Adriatique. Il s'agit de rompre l'équilibre qui s'est établi et de soulager la pression que subit la 5e Armée dans sa marche sur Rome. La tâche n'est pas facile, car la côte Adriatique est découpée par toute une série de vallées profondes. À peine les Britanniques et les Canadiens ont-ils réussi à chasser les Allemands du Sangro qu'ils se retrouvent devant une tâche semblable quelques milles au nord. Ici, le long du Moro, se produisent des combats qui comptent parmi les plus durs de toute la guerre. Les Allemands contre-attaquent à de nombreuses reprises et combattent souvent corps-à-corps; les Canadiens avancent lentement jusqu'à Ortona sur la côte.

La ville médiévale d'Ortona, avec son château et ses bâtiments de pierre, est située sur une corniche qui surplombe l'Adriatique. Les rues en pente abrupte,

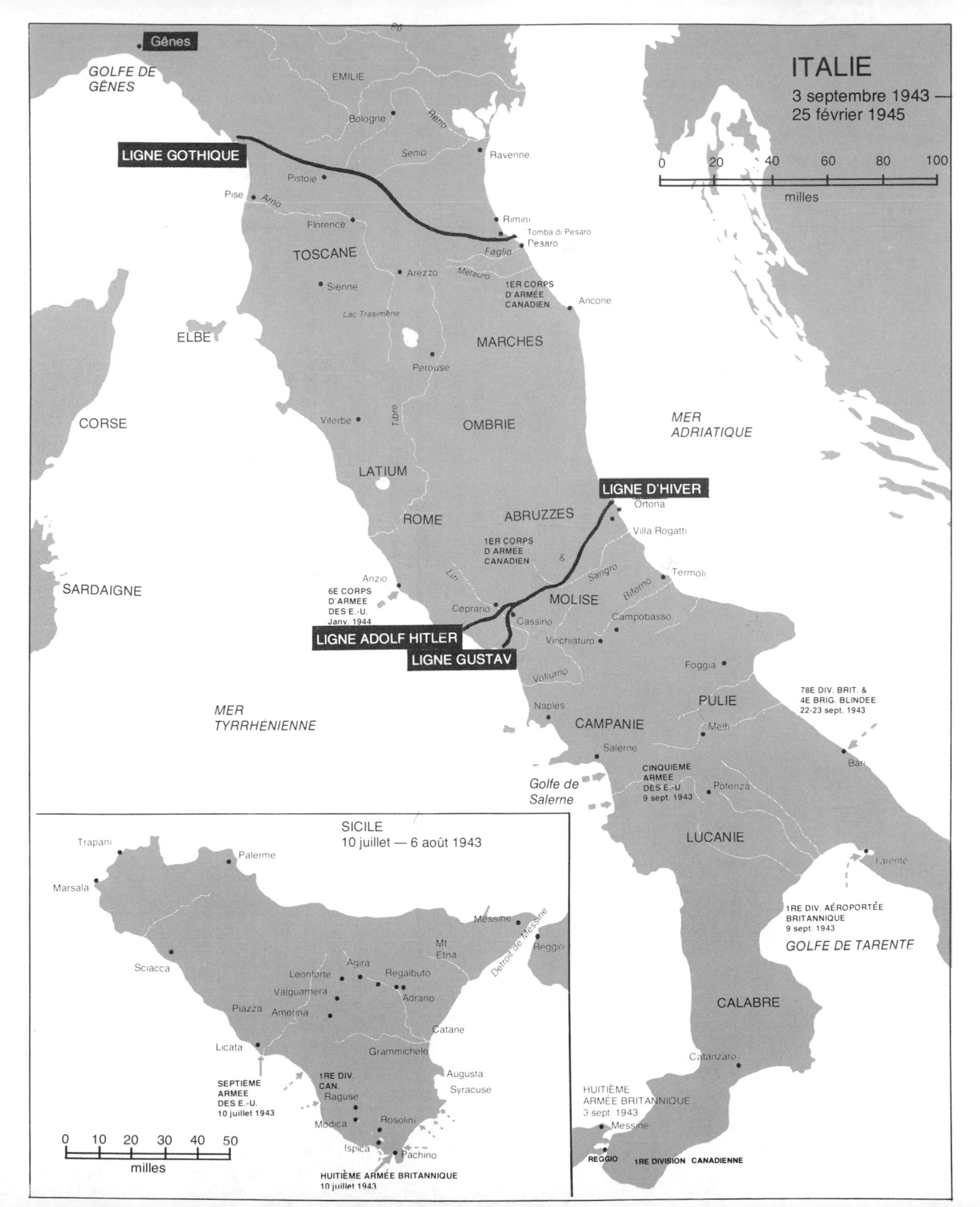
ITALIE
3 septembre 1943 — 25 février 1945
0 20 40 60 80 100
milles
Gênes
GOLFE DE GÊNES
EMILIE
Pô
Bologne
Reno
Senio
Ravenne
LIGNE GOTHIQUE
Pistoie
Pise
Arno
Florence
Rimini
Tomba di Pesaro
Pesaro
Faglia
TOSCANE
Arezzo
Metauro
Sienne
1ER CORPS D'ARMÉE CANADIEN
Ancône
Lac Trasimène
ELBE
MARCHES
Perouse
CORSE
Viterbe
Tibre
OMBRIE
MER ADRIATIQUE
LATIUM
LIGNE D'HIVER
Ortona
ROME
ABRUZZES
Villa Rogatti
1ER CORPS D'ARMEE CANADIEN
&
Sangro
Termoli
Anzio
Liri
SARDAIGNE
6E CORPS D'ARMEE DES E.-U. Janv. 1944
Ceprano
MOLISE
Biferno
Cassino
Campobasso
LIGNE ADOLF HITLER
Vinchiaturo
LIGNE GUSTAV
Volturno
Foggia
78E DIV. BRIT. & 4E BRIG. BLINDEE 22-23 sept. 1943
Naples
PULIE
MER TYRRHÉNIENNE
CAMPANIE
Melfi
Salerne
Bari
CINQUIEME ARMEE DES E.-U 9 sept. 1943
Golfe de Salerne
Potenza
LUCANIE
Tarente
1RE DIV. AÉROPORTÉE BRITANNIQUE 9 sept. 1943
GOLFE DE TARENTE
CALABRE
Catanzaro
HUITIÈME ARMÉE BRITANNIQUE 3 sept. 1943
Messine
REGGIO
1RE DIVISION CANADIENNE
SICILE
10 juillet — 6 août 1943
Trapani
Palerme
Marsala
Messine
Détroit de Messine
Reggio
Mt Etna
Sciacca
Agira
Regalbuto
Leonforte
Valguarnera
Adrano
Piazza
Amerina
Catane
Licata
Grammichele
Augusta
Syracuse
SEPTIÈME ARMÉE DES E.-U. 10 juillet 1943
1RE DIV. CAN.
Raguse
Modica
Rosolini
Ispica
Pachino
0 10 20 30 40 50
milles
HUITIÈME ARMÉE BRITANNIQUE 10 juillet 1943

remplies de décombres ne permettent guère d'utiliser les chars et l'artillerie; c'est donc un combat d'infanterie. En plusieurs jours de combat acharnés, dans les rues, les Canadiens se battent et conquièrent maison par maison et pâté par pâté. Ils appelèrent cette méthode "*Mouseholing*" (technique du "trou de souris".) C'est Noël 1943. Entretemps, une attaque secondaire a été lancée au nord-ouest et les parachutistes allemands, qui risquent de se voir couper la retraite, se retirent d'Ortona. La ville tombe officiellement le 28 décembre.

Le mauvais temps met un frein aux offensives durant l'hiver. Pendant ce répit, Simonds part pour l'Angleterre, le major général E.L.M. Burns le remplace. En mars, Burns remplace Crerar au commandement du 1^er^ Corps canadien, Crerar retourne prendre le commandement de la 1^re^ Armée canadienne en Angleterre. Le major général B.M. Hoffmeister prend le commandement de la 5^e^ Division blindée canadienne.

À ce moment-là, l'Armée canadienne en Italie avait atteint le chiffre record de son effectif, soit près de 76,000 hommes de tous grades. Les pertes totales du Corps canadien avaient atteint 9,934 de tous grades, dont 2,119 avaient été mortelles.

### La bataille de la vallée du Liri

Au printemps de 1944, les Allemands tiennent toujours la barricade au nord d'Ortona, de même que le puissant bastion du Mont Cassin, qui bloque le corridor du Liri qui mène à la capitale italienne. Décidés à tenir Rome, les Allemands construisent deux formidables lignes de fortifications la ligne Gustav et, neuf milles derrière, la ligne Adolf Hitler.

En avril et mai 1944, la 8^e^ Armée, y compris le 1^er^ Corps canadien, est déplacée secrètement d'un côté à l'autre de l'Italie pour aider la 5^e^ Armée américaine dans sa lutte pour Rome. Ici, à l'ombre du mont Cassin, les armées alliées se lancent contre la position ennemie. Les chars de la 1^re^ Brigade blindée canadienne appuient l'attaque alliée. Après quatre jours de durs combats, les défenses allemandes sont brisées de Cassino jusqu'à la mer Tyrrhénienne et l'ennemi se replie sur sa seconde ligne de défense. Le 18 mai, les troupes polonaises deviennent maîtres de la position ennemie à Cassino et de ce qui reste du monastère au sommet.

Le 16 mai, le 1^er^ Corps canadien — infanterie et chars — reçoit l'ordre d'avancer sur la ligne Hitler six milles plus loin. L'attaque sur la ligne Hitler commence de bonne heure le 23 mai. Sous le feu nourri des mortiers et des mitrailleuses de l'ennemi, les Canadiens font une percée et les chars de la 5^e^ Division blindée s'élancent vers le prochain obstacle, le fleuve Melfa. La constitution d'une tête de pont sur le Melfa donne lieu à des combats désespérés. Cependant, une fois les Canadiens traversés, les combats importants pour la vallée du Liri sont terminés. L'opération se transforme en poursuite, car les Allemands se replient rapidement pour éviter d'être pris au piège dans la vallée par la poussée américaine à l'ouest. La 5^e^ Division blindée assure la poursuite canadienne jusqu'à Ceparano où la 1^re^ Division d'infanterie prend la relève. Le 31 mai, les Canadiens occupent Frosinone et c'est dans cette région que se termine leur campagne; ils passent à la réserve. Rome tombe aux mains des Américains le 4 juin. Moins de 48 heures plus tard commence sur les plages de Normandie l'invasion si longtemps attendue du Nord-Ouest de l'Europe: c'est le jour J. Il est donc essentiel que les forces alliées en Italie continuent à immobiliser les troupes allemandes.

Les Canadiens sont maintenant retirés du front pour un repos bien mérité qu'ils occuperont à la réorganisation; toutefois, la 1^re^ Brigade blindée canadienne accompagne les Britanniques alors que les Allemands se replient vers le nord sur leur dernière ligne de défense.

### La route de Rimini

L'automne et l'hiver de 1944 voient les Canadiens de retour sur la côte de l'Adriatique. Leur objectif, la ligne Gothique, est la dernière grande ligne défensive allemande qui sépare les Alliés de la vallée du Pô et de la grande plaine de Lombardie. Puisque le nord de l'Italie contient de nombreuses usines produisant un matériel vital, les Allemands se battront avec la dernière énergie pour empêcher une percée. La ligne est formidable. Elle va en gros de Pise à Pesaro, et se compose de postes de mitrailleuses, de canons anti-chars, de batteries de mortiers et de canons d'assaut, de tourelles de chars encastrés dans le béton, sans compter les mines, les obstacles de barbelés et les fossés anti-chars.

Le plan allié prévoit une attaque surprise sur le flanc est, suivie d'une poussée vers Bologne. Pour faire croire aux Allemands que l'attaque se fera à l'ouest, la 1re Division canadienne a été concentrée près de Florence, puis déplacée secrètement en direction nord vers l'Adriatique.

Au cours de la dernière semaine d'août 1944, l'ensemble du corps canadien commence son attaque sur la ligne Gothique, l'objectif étant la capture de Rimini. Il y a six rivières à traverser. Le 25 août, les Canadiens traversent le fleuve Metauro mais le fleuve suivant, le Foglia, est plus formidable. Ici les Allemands ont concentré leurs défenses, et il faut plusieurs jours de combats acharnés et un bombardement de la ligne par les forces aériennes alliées pour y arriver. Le 30 août, deux brigades canadiennes traversent le Foglia et percent la ligne Gothique. Le 2 septembre, le général Burns signale que "la ligne Gothique est complètement brisée dans le secteur adriatique et le 1er Corps canadien avance jusqu'au Conca."

L'annonce était prématurée car l'ennemi récupère rapidement, renforce la défense de l'Adriatique en déplaçant des divisions d'autres lignes; on avance vers Rimini pas à pas, en disputant âprement chaque pouce de terrain. À trois milles au sud du Conca, l'avant-garde rencontre le feu de la 1re Division allemande de parachutistes, alors qu'à l'ouest des combats importants s'engagent sur la crête de Coriano. À force d'acharnement, les Canadiens prennent la crête et il semble que la ligne Gothique va finalement s'effondrer; mais tel n'est pas le cas. Pendant encore trois semaines les Canadiens se battent pour prendre la colline de San Fortunato qui barre la route de la vallée du Pô. Le 21 septembre, les Alliés entrent dans la ville maintenant déserte de Rimini. Le même jour, la 1re Division est relevée par la division de Nouvelle-Zélande qui est prête, avec la 5e Division blindée, à traverser les plaines de Lombardie en direction de Bologne et du Pô. C'est alors que la pluie entre en jeu. Les ruisseaux deviennent des torrents, la poussière se change en boue et les chars s'embourbent dans les marais de Romagne. Les Allemands résistaient encore. Septembre 1944 se termine et avec lui l'espoir de déboucher rapidement dans la vallée du Pô. Le 11 octobre, la 1re Division canadienne d'infanterie revient en ligne et la 5e Division passe à la réserve. Pendant trois semaines, les

Canadiens combattent dans la Romagne détrempée. On perce les formidables défenses du Savio, mais les Allemands contre-attaquent pour essayer de repousser les Canadiens. Entretemps, les Américains avancent sur Bologne; pour arrêter leur avance, les Allemands prennent deux divisions d'élite du front adriatique. Ceci permet aux Canadiens d'avancer jusqu'aux rives du Ronco, quelque six milles plus loin.

Le corps canadien est maintenant retiré du front et passe à la réserve où il peut se remettre des dix semaines de combats continus et s'entraîne pour les batailles à venir. Pendant ce temps, la 1re Brigade blindée continue à travailler avec les Américains et les Britanniques dans le secteur situé au nord de Florence. Pour elle, la campagne se terminera en Italie parmi les pics neigeux en février 1945.

Il se produit des changements dans le commandement avant que le corps ne retourne au front. Le 5 novembre, le lieutenant-général Charles Foulkes remplace le lieutenant-général Burns comme commandant du 1er Corps canadien et le major général Vokes part pour la Hollande où il change de poste avec le major général H.W. Foster.

*Le feu des mortiers allemands détruit une jeep et un camion, Ortona, décembre 1943. (Archives publiques Canada 27992)*

*Char Sherman de la 5e Division blindée canadienne traversant Ravenne, janvier 1945. (Archives publiques Canada 41299)*

*Ruines de la gare de Rimini, septembre 1944. (Archives publiques Canada 45143)*

Les Canadiens reviennent au combat le 1er décembre. La 8e Armée fait une dernière tentative pour atteindre la plaine de Lombardie. Pendant un mois sanglant, ils ont traversé des rivières avec de très lourdes pertes pour finalement se rendre jusqu'au Senio. Résistant avec un acharnement désespéré, les Allemands ont fait venir des renforts de leur flanc ouest et, aidés par la termpérature et la topographie, ont arrêté la 8e Armée. En janvier 1945, la ligne d'hiver se stabilise au Senio; par une température épouvantable, les deux côtés emploient un minimum de troupe et se contentent de se surveiller à partir de positions cachées.

La campagne d'Italie se poursuivra jusqu'au printemps de 1945, mais les Canadiens ne participeront pas à la victoire finale.

En février 1945, le 1er Corps canadien part pour l'Europe du Nord-Ouest où il sera réuni à la 1re Armée canadienne. Les Canadiens se joindront à la marche sur l'Allemagne et la Hollande qui mettra un terme à la guerre en Europe.

*La tête d'avant garde de la flotte d'invasion se dirigeant vers la côte française au jour J. (Archives publiques Canada GM-2273)*

## Les débarquements en Normandie

Le 6 juin 1944, passé à l'histoire sous le nom de jour J, commencent les débarquements alliés sur la côte de Normandie, début de l'opération "*Overlord*", l'invasion si longtemps attendue du nord-ouest de l'Europe. La tâche est énorme, car les Allemands ont fait de la côte une forteresse ininterrompue munie de canons, de casemates, de barbelés, de mines et d'obstacles de toutes sortes; de cette opération, dépend l'issue de la guerre.

En préparation de l'invasion, les Américains, les Britanniques et les Canadiens ont subi des mois d'entraînement spécialisé; des approvisionnements ont été entassés dans le sud de l'Angleterre; des ingénieurs ont préparé un pipeline sous-marin jusqu'à la France et l'on a assemblé des ports préfabriqués. Les forces terrestres, maritimes et aériennes ont répété inlassablement pour assurer la perfection.

Après avoir bombardé toute la nuit les secteurs visés, les Alliés attaquent la "Forteresse Europe" sur un front large de cinq divisions et les troupes de trois divisions aéroportées descendent par parachute et par planeur sur les flancs du secteur d'invasion. Les trois armes canadiennes participent à l'assaut. Une des formations venue de la mer est la 3e Division d'infanterie canadienne, appuyée par la 2e Brigade blindée canadienne et d'autres troupes détachées d'autres armes et services de l'Armée canadienne. Le 1er Bataillon de parachutistes canadien est attaché à la 6e Division aéroportée britannique qui est larguée sur le flanc est de la tête de pont. La traversée de la Manche s'effectue grâce à des voies que les dragueurs de mines de la Marine royale canadienne ont aidé à dégager; des

*Troupes du HMCS Prince David dans leurs péniches de débarquement au jour J. (Archives publiques Canada PD-385)*

*Les chars du 1er Hussars, les Royal Winnipeg Rifles, les Regina Rifles et le Canadian Scottish Regiment débarquent à Courseulles-sur-Mer. (Archives publiques Canada 33966)*

*Un Supermarine Spitfire reçoit des signes pour l'invasion le 5 juin à Tangmere, Sussex. (Photo du MDN PL-30827)*

canons navals canadiens participent au harcèlement des défenses côtières ennemies et certaines unités de la 3e Division sont transportées à bord de navires canadiens et mises à terre au moyen de péniches de débarquement canadiennes. Dans les airs, le Corps d'aviation royal canadien apporte son importante contribution avec les bombardiers qui attaquent les batteries allemandes de la zone d'assaut et les escadrilles de chasse canadiennes qui s'en prennent à des cibles plus éloignées à l'intérieur.

Deux armées participent à l'opération. Sur la droite, soit du côté ouest, depuis la base de la péninsule du Cotentin jusqu'à un point situé au nord-ouest de Bayeux, la 1re Armée américaine attaque sur les plages "Utah" et "Omaha". Sur la gauche, dans un secteur qui s'étend à l'est jusqu'à l'embouchure de l'Orne, la 2e Armée britannique attaque les plages "Gold", "Juno" et "Sword".

Les Canadiens, sous le commandement du major général R.F.L. Keller, sont chargés de "Juno" au centre du front britannique. Leur tâche est d'établir une tête de pont sur les cinq milles qui s'étendent entre Courseulles et Saint-Aubin-sur-Mer, puis, passant entre Bayeux et Caen, de pénétrer jusqu'à l'aérodrome de Carpiquet, quelque onze milles vers l'intérieur. On espère qu'à la tombée de la nuit les deux divisions britanniques à leur gauche et à leur droite auront pris Caen et Bayeux et que les Canadiens occuperont la route et le chemin de fer reliant les deux villes.

Retardés par le mauvais temps et par la mer, les hommes de la 7e Brigade déferlent sur la grève où ils sont accueillis par une farouche résistance de la part des fortifications ennemies qui ont survécu aux bombardements et des obstacles minés que cache sur la plage la marée montante. En dépit des pertes élevées

et des violents combats, ils prennent Courseulles-sur-Mer et les villages de l'intérieur jusqu'à Sainte-Croix-sur-Mer et Banville. Au soir, la brigade consolide ses positions, ayant atteint son objectif intermédiaire près de Creully.

Sur le front de la 8e Brigade, les ingénieurs d'assaut arrivent à temps pour engager les fortifications ennemies. La tête de pont est prise et les Canadiens se dirigent vers l'intérieur pour prendre Bernières. Après Bernières, leur avance ralentit et Bény-sur-Mer, sur la route principale de Caen, n'est prise qu'au soir.

Les unités de la 9e Brigade débarquent peu avant midi et traversent Bernières et Bény jusqu'au voisinnage de Villons-les-Buissons, à moins de quatre milles de Caen. Ils rencontrent un feu de mitrailleuses et s'arrêtent juste avant l'aérodrome de Carpiquet, objectif définitif de la division.

À la fin de la journée, la 3e Division canadienne est bien établie sur ses objectifs intermédiaires, bien qu'elle n'ait pas atteint les objectifs ultimes planifiés pour le jour J. Sur les deux flancs, l'avance alliée a été semblable. La 3e Division britannique est à trois milles de Caen et, sur la droite, la 50e Division n'est qu'à deux milles de Bayeux. Le 1er Bataillon canadien de parachutistes est descendu sur le flanc gauche de la tête de pont. Même s'ils ont été éparpillés et s'ils ont souffert de graves pertes, les bérets rouges canadiens ont détruit les cibles qui leur étaient assignées et ont fait beaucoup de dommages derrière les lignes. Dans la zone américaine, les forces d'assaut à la plage "Omaha" ont rencontré une farouche résistance, mais ici aussi les têtes de pont ont été établies.

C'est là un fait d'arme magnifique, la puissante muraille de l'Atlantique a été battue en brèche, les approvisionnements et les hommes débarquent en grand nombre pour reprendre demain leur avance. Les Alliés sont revenus en Europe.

Environ 14,000 Canadiens sont débarqués en Normandie en ce jour J. Les pertes ont évidemment été considérables, mais pas autant qu'on ne l'avait craint. Les forces d'assaut canadiennes ont perdu 1,074 combattants, dont 359 tués.

Il reste encore beaucoup de combats — des combats très durs où les forces canadiennes joueront pleinement leur rôle. Le jour de la victoire en Europe se fera encore attendre onze mois.



## De la Normandie aux Pays-Bas

Des combats sans merci se poursuivent en Normandie tout au cours de juin et de juillet 1944. Alors que les Américains tentent de dégager la péninsule du Cotentin et de capturer Cherbourg, les Canadiens et les Britanniques font face aux combats les plus rudes qu'on puisse imaginer contre les puissantes divisions de Panzer alors qu'ils tentent de prendre la ville de Caen. Face à une farouche résistance, et donc à de lourdes pertes, on avance moins vite que prévu. Il faut plus d'un mois pour capturer l'aérodrome de Carpiquet, préalable à la prise de Caen. Caen est prise le 10 juillet.

C'est alors qu'arrive le Quartier général du 2e Corps canadien et les soldats de toutes les formations canadiennes en France prennent part aux combats au sud de Caen. La première mission confiée au Corps est de sortir de Caen en traversant l'Orne, l'objectif étant d'agrandir la tête de pont et d'immobiliser les troupes allemandes pour aider la sortie des Américains à l'ouest. Les combats sont durs et sanglants, particulièrement près de la crête de Verrières, et des pertes très lourdes se soldent seulement par une légère avance. Cependant, les gains stratégiques sont considérables. Certaines des meilleures formations blindées de l'Allemagne étant ainsi engagées au front anglo-canadien, les Américains peuvent sortir de Cherbourg et commencer l'encerclement des forces allemandes. Au cours de la phase finale de cette stratégie d'immobilisation, le 25 juillet, les Canadiens attaquent les deux côtés de la route Caen-Falaise. Les pertes sont lourdes, les puissantes forces allemandes réussissant à tenir leurs positions. Cependant, le même jour, la 1re Armée américaine enfonce les positions ennemies près de Saint-Lô et les Allemands commencent à retirer leurs chars du secteur de Caen pour contrer cette menace américaine.

Entretemps, le 23 juillet, le Quartier général de la 1re Armée canadienne entre en fonction. Sous le commandement du général Crerar, cette 1re Armée canadienne acquerra un caractère international. Outre ses divisions canadiennes (la 2e et la 3e Divisions

d'infanterie et la 4e Division blindée) elle comprendra une division polonaise, des corps britanniques et, à divers moments, des troupes américaines, belges et hollandaises. Les Américains ayant contourné les Allemands par le sud et les ayant enfermé dans une énorme souricière, la 1re Armée canadienne du général Crerar reçoit l'ordre de se rendre à Falaise où se situe l'ouverture de cette souricière. Le lieutenant-général Simonds, qui commande le 2e Corps canadien, a prévu l'opération pour la nuit, utilisant des transporteurs blindés pour l'infanterie et des chars pour précéder et suivre l'assaut. L'attaque commence juste avant minuit le 7 août, précédée d'un fort bombardement aérien, dirigé par les fusées rouges et vertes de l'artillerie. L'attaque connaît d'abord un certain succès, les premières lignes défensives sont enfoncées, notamment la crête de Verrières où des Canadiens sont morts au cours de la campagne de juillet. Mais l'élan ne peut être maintenu, étant donné une farouche résistance allemande et des erreurs des bombardements alliés qui ont causé des pertes à leurs propres troupes.

Il est vital que Falaise soit prise sans retard pour opérer la jonction avec les forces américaines qui arrivent du sud. Le général Simonds ordonne un second assaut. Des tactiques similaires sont utilisées, si ce n'est que cette fois l'attaque a lieu de jour, des écrans de fumée jouant le rôle qu'a joué l'obscurité lors de la première attaque. Encore une fois, il y a erreur dans les bombardements alliés, mais cette fois l'assaut réussit. Falaise est prise le 16 août. Des forces allemandes considérables sont prises dans un étau qui se resserre inexorablement. La seule sortie est l'étroit passage entre Falaise et Argentan. C'est en particulier à la 1re Armée canadienne qu'échoit la tâche de fermer ce passage.

Luttant désespérément pour sortir du piège, les Allemands constituent pendant la journée, pour les avions alliés, des cibles faciles. Un grand nombre sont

*À gauche: Troupes canadiennes utilisant un fusil mitrailleur dans une rue qui n'a pas été libérée de tireurs d'élite, à Caen en Normandie, juillet 1944. À droite: Les Fusiliers Mont-Royal suivent un char Sherman lors d'opérations de nettoyage de Falaise, août 1944. (Archives publiques Canada 36286 et 38684)*

tués. Le 19 août, le passage est partiellement fermé, mais les Allemands encerclés continuent à contre-attaquer. Malgré de lourdes pertes, un nombre considérable parvient à s'échapper avant que le passage ne soit complètement bloqué.

Après la victoire alliée en Normandie, l'Allemagne ne peut plus tenir la France. Le 25 août, Paris est libéré par les troupes françaises et américaines. Les armées allemandes, affaiblies mais non détruites, se sont repliées sur leur propre frontière. Derrière les défenses du mur de l'Ouest, ils se préparent à une résistance désespérée.

## Nettoyer la côte

La 1re Armée canadienne était maintenant chargée de nettoyer les régions côtières et de dégager les ports de la Manche afin d'y recevoir les approvisionnements indispensables. Les Canadiens, formant l'aile gauche des forces alliées, avancent rapidement vers l'est en passant par la France pour se rendre en Belgique. La 2e Division canadienne fait son entrée à Dieppe au début de septembre. Elle traverse ensuite Boulogne, Calais et le Cap Gris-Nez. À la fin de septembre, toute la côte de la Manche — sauf Dunkerque — était nettoyée et le sud de l'Angleterre délivré de la pluie incessante des fusées et des obus lancés par ces villes. Un peu plus au nord, la 2e Armée britannique s'empare du port d'Anvers où tout était encore presqu'intact.

*Un véhicule tout-terrain arrive au point d'embarquement de l'Escaut, près de Terneuzen, octobre 1944. (Archives publiques Canada 41568)*

Entre-temps, les troupes britanniques et américaines avaient poussé plus avant en se déployant, et avaient engagé une importante bataille dans le sud de la Hollande. Dans un suprême effort, la 2e Armée britannique tenta en septembre de traverser la Hollande et organisa une attaque aérienne pour s'emparer des passages à Grave, Nimègue et Arnhem. Si cette opération avait réussi, les Alliés auraient acquis la suprématie entre le Rhin et Ijsselmeer (Zuiderzee) et les contacts entre la Hollande et l'Allemagne auraient été rompus. La mission ayant cependant échoué de peu, il fallait s'attendre à ce que la guerre se poursuive pendant l'hiver, jusqu'au printemps de 1945.

## La bataille de l'Escaut

Vu les circonstances, il devient absolument nécessaire d'ouvrir le port d'Anvers — déjà occupé par les troupes alliées — puisque les principales lignes de ravitaillement se rendaient encore jusqu'en Normandie. La tâche est confiée à la 1re Armée canadienne, commandée par le lieutenant-général Guy Simonds en lieu et place du général Crerar qui était souffrant.

Bien que Anvers était déjà occupée par les troupes alliées, elle se trouvait à cinquante milles de la mer, et ses abords, incluait les deux rives de l'Escaut, l'isthme du Beveland-Sud, ainsi que l'île de Walcheren, qui dominaient l'embouchure de la rivière contrôlée par les Allemands. Jusqu'à ce que ces secteurs ne soient libérés, aucun navire ne pouvait y pénétrer.

La libération de l'estuaire devait se faire en quatre étapes principales. Il fallait d'abord dégager la région au nord d'Anvers et fermer l'isthme du Beveland-Sud. Il fallait ensuite dégager la "poche" de Breskens située derrière le canal Léopold, puis réduire la péninsule de

*Les chars canadiens de la 5e Division canadienne traversant Putten (Hollande), avril 1945. (Archives publiques Canada 50417)*

Beveland. La dernière étape: la prise de l'île de Walcheren.

Au début d'octobre 1944, la 2e Division d'infanterie canadienne commence à avancer au nord de d'Anvers, en vue de couper l'accès au flanc est de l'isthme du Beveland-Sud. Elle se dirigeait à grand pas vers l'isthme lui-même où des parachutistes ennemis de taille fermaient la voie. L'attaque à ciel ouvert des troupes de l'Armée canadienne sur des terres inondées fait plusieurs morts mais, le 16 octobre, les troupes avaient envahi Woensdrecht, aux abords du Beveland-Sud. C'est alors que le maréchal Montgomery ordonne le regroupement de toutes les forces, qui concentrent leurs efforts sur l'embouchure de l'estuaire de l'Escaut. La 2e Armée britannique attaque en direction de l'ouest afin de nettoyer les Pays-Bas au sud de la Meuse et d'isoler la région de l'Escaut, tandis que le général Simonds concentra ses efforts sur la région au nord de l'isthme de Beveland. La 4e Division blindée canadienne est transférée au nord de l'Escaut et tente d'atteindre Bergen op Zoom. Le 24 octobre, l'isthme était isolé et le 31 octobre la péninsule capitulait.

Des batailles aussi sanglantes se poursuivaient entretemps sur la rive sud de l'Escaut. C'est là que la 3e Division d'infanterie canadienne se heurte à un front allemand tenace en tentant de franchir le canal Léopold pour nettoyer la poche de Breskens. L'attaque est déclenchée le 6 octobre — les adversaires étaient tenaces et pendant trois jours, une étroite tête de pont risqua plusieurs fois de disparaître à jamais. C'est en effet le 9 octobre qu'un assaut amphibie détruit l'emprise de l'ennemi sur le canal, et la tête de pont est élargie. Puis des troupes et des chars d'assauts traversent le canal et les Allemands battent en retraite pour ensuite se réfugier dans des abris en béton dispersés sur la côte. Il y eut d'autres combats mais, le 3 novembre, la rive sud de l'Escaut était libérée.

L'île de Walcheren restait le seul obstacle important empêchant l'utilisation du port d'Anvers. Ses défenses étaient d'une solidité à toute épreuve et il n'était possible d'en approcher — par voie de terre — qu'en empruntant la longue et étroite chaussée du Beveland-Sud. Et il y avait pire encore: les terres basses encerclant cette chaussée étaient trop saturées pour permettre d'avancer à pied, mais n'étaient pas suffisamment inondées pour permettre d'attaquer en bateau plat à moteur.

L'attaque devait venir de trois directions: de l'est, par la chaussée; du sud, par l'Escaut; et de la mer. Pour affaiblir la résistance des Allemands, la *RAF* bombarde les digues de l'île afin d'inonder la région centrale, permettant par là aux véhicules amphibies d'y pénétrer.

Les Canadiens se lancent à l'attaque de la chaussée le 31 octobre et, après un sinistre combat, réussissent à s'emparer d'une tête de pont exiguë à laquelle ils s'accrochent désespérément. Puis la 52e Division britannique poursuit son chemin en même temps que les attaques venues de la mer. Le 6 novembre, Middelbourg, capitale de l'île, se rend et le 8 novembre, toute résistance cesse. Le canal était débarrassé des mines et le 28 novembre, le convoi entrait dans le port d'Anvers.

## La bataille de la Rhénanie

Après la bataille de l'Escaut, les Canadiens durent former la ligne de défense le long de la Meuse et de la saillie de Nimègue. Cette période de trois mois est relativement tranquille, passée à planifier et à préparer l'offensive du printemps, mais il y a quand même quelques heurts assez violents.

En février 1945 les Alliés lancent la grande offensive visant à repousser l'ennemi au-delà du Rhin et le vaincre définitivement.

La première phase de la campagne commence au nord où le maréchal Montgomery avait sous ses ordres la 9e Armée américaine ainsi que les forces britanniques et canadiennes. Il devait y avoir deux "coups de maître": la 1re Armée canadienne devait avancer vers le sud-est à partir de la saillie de Nimègue et nettoyer le passage entre le Rhin et la Meuse, tandis que la 9e Armée américaine se dirigerait vers le nord-est et convergerait — avec les Canadiens — sur le Rhin en face de Wesel.

Pour cette bataille, la 1re Armée canadienne, sous les ordres du général Crerar, est renforcée de formations alliées, et devient par là la force la plus importante qu'un officier canadien ait jamais eu à commander. Il fallait nettoyer l'immense forêt de Reichswald, percer la ligne Siegfried, percer les lignes de défense de la Hochwald et converger vers le Rhin. L'offensive, appelée opération "Véritable", est lancée le 8 février et précédée d'un effroyable bombardement aérien et d'artillerie des défenses ennemies. Les attaquants ne peuvent cependant avancer qu'avec effort. Le sol couvert de boue ralentissait la marche et les troupes doivent quelquefois se frayer un chemin à travers trois pieds d'eau. De plus, les troupes américaines venant du sud sont retardées et l'ennemi réussit à raffermir ses positions. Néanmoins, les défenses extérieures de la ligne Siegfried s'écroulent et, plus loin vers la gauche, les "rats d'eau" de la 3e Division, réussissent à traverser les terres inondées et à gagner pas mal de terrain.

*Des hommes du 5e Régiment de campagne de l'Artillerie royale canadienne tirant un canon à obus de vingt-cinq livres. Malden (Hollande), février 1945. (Archives publiques Canada 45747)*

*Char de la 4e Division blindée canadienne s'avançant vers la forêt de Hochwald, février 1945. (Archives publiques Canada 46990)*

Avançant ensuite pied par pied à travers la forêt de pins du Reichswald et la campagne inondée, les soldats britanniques et canadiens se frayent un chemin et, le 21 février, enfoncent la célèbre ligne Siegfried.

Il restait encore à prendre les formidables défenses de Hochwald et de Balberger si l'on voulait atteindre le Rhin. L'assaut contre cet obstacle redoutable est déclenché le 26 février par les 2e et 3e Divisions d'infanterie canadiennes et la 4e Division blindée. L'avance est, en tous points, analogue à celle vers la Reichswald. Les troupes étaient constamment refoulées par des contre-attaques incessantes, alors que la fonte des neiges et des pluies avaient entravé la marche des chars d'assaut. Les Américains avaient repris leur marche dans le sud, et la résistance se poursuit jusqu'au 10 mars, lorsque l'ennemi fait sauter les ponts sur la Wesel et se retranche sur la rive gauche du Rhin.

Au cours de ce mois de bataille, la 1re Armée canadienne perd 15,634 hommes — tués, blessés ou disparus — dont 5,304 Canadiens, mais elle s'était emparée des rives du Rhin, dernière ligne de défense importante des Allemands.

## La libération des Pays-Bas

La route était libre. On pouvait entamer la phase finale de la campagne en Europe du Nord-Ouest. Le 23 mars, les forces alliées se lançaient à l'assaut au-delà du Rhin. Bien que la 1re Armée canadienne n'ait pas de fait participé à la traversée, les troupes de la 9e Brigade d'infanterie canadienne — sous un commandement britannique — franchissent le Rhin à Rees, et le 1er Bataillon de parachutistes canadien saute à l'est de la rivière, près de Wesel. Plusieurs jours après, la 3e Division franchit le Rhin et se fraie un chemin jusqu'à Emmerich.

Le Rhin franchi, les forces alliées pouvaient maintenant profiter de leur avantage numérique et avancer en sol allemand. Du côté de la frontière de l'est, les Russes s'approchaient de Vienne et étaient prêts à traverser l'Oder pour attaquer Berlin.

Le rôle de l'Armée canadienne au cours de ces derniers jours est de dégager la ligne de ravitaillement, vers le nord, passant par Arnhem, puis de nettoyer le nord-est des Pays-Bas, la côte de l'Allemagne à l'est de l'Elbe et l'ouest de la Hollande.

La composition de la 1re Armée canadienne était cette fois bien plus canadienne puisque le 1er Corps d'armée canadien qui avait combattu si longtemps en Italie avait été transporté en Europe du Nord-Ouest. Deux corps d'armée canadiens batailleraient donc côte à côte pour la première fois dans l'histoire. Le 2e Corps d'armée canadien devait nettoyer le nord-est des Pays-Bas et la côte allemande, et le 1er Corps d'armée devait affronter les Allemands encore dans l'ouest des Pays-Bas au nord de la Meuse.

### Le nord-est de la Hollande

Le 2e Corps d'armée canadien marche rapidement vers le nord et les troupes avançant à travers les Pays-Bas sont accueillies par les explosions de joie du peuple hollandais maintenant libre.

À droite, la 4e Division blindée canadienne du major général Vokes franchit le canal Twente et poursuit sa marche pour capturer Almelo le 5 avril, avant de bifurquer vers l'est pour se rendre en Allemagne. Au

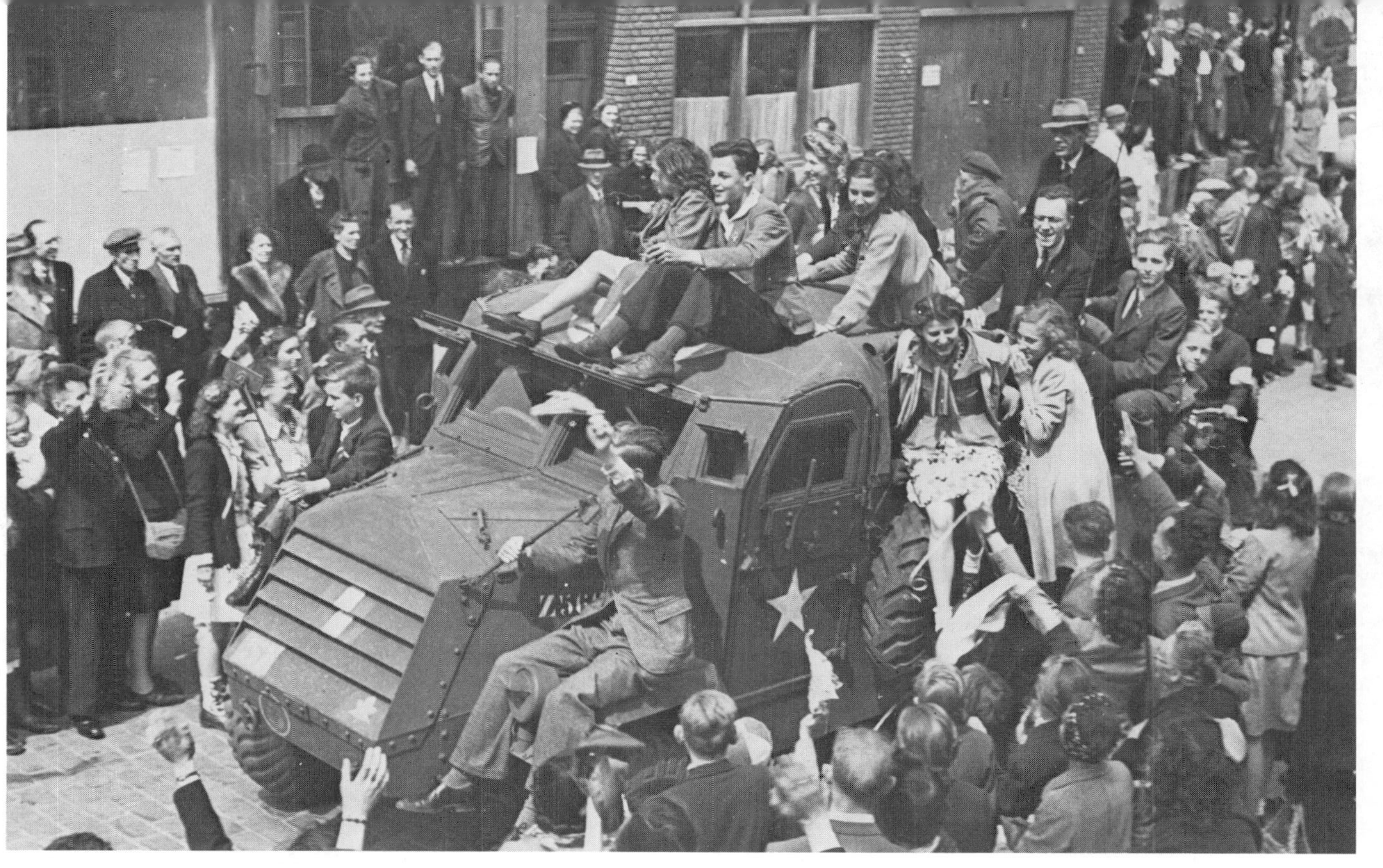

*Personnes célébrant la libération à Rotterdam. (Archives publiques Canada 51863)*

*Reddition de la 25e Armée allemande. À Wageningen, le 5 mai 1945, le lieutenant-général Foulkes (à gauche), commandant du 1er Corps d'armée canadien, accepte la reddition du général Johannes Blaskowitz (deuxième à droite), commandant des forces allemandes dans les Pays-Bas. À l'avant-plan, à gauche, Son Altesse royale le prince Bernhard. (Archives publiques Canada 51404)*

centre, la 2e Division franchit le canal Schipbeek et avance presqu'en ligne droite vers Groningue, au nord de la Hollande, où elle arrive le 16 avril. Sur le flanc gauche du corps, la 3e Division avait pour mission de nettoyer la région adjacente à l'Ijssel et, après plusieurs jours de combat ardu, se rend maître de l'historique Zutphen le 6 avril. Elle avance ensuite pour prendre Deventer, Zwolle et Leeuwarden, et ensuite atteindre la mer le 18 avril.

Les opérations du 2e Corps s'étendent ensuite de l'est de la Hollande jusqu'en Allemagne de l'ouest. La 4e Division franchit la Ems à Mepen et, avec la Ire Division blindée polonaise, met ensuite le cap sur Emden, Wilhelmshaven et Oldenbourg. La 3e Division s'attaquait aussi à Emden tandis que la 2e Division avançait de Groningue jusqu'à la région d'Oldenbourg.

### L'ouest de la Hollande

Dans l'ouest des Pays-Bas le 1er Corps d'armée canadien — y compris la 1re Division d'infanterie canadienne et la 5e Division blindée canadienne — sous les ordres du lieutenant-général Charles Foulkes, libèrent la région au nord de la Meuse. Dans cette région, avec ses grandes villes comme Amsterdam, Rotterdam et La Haye, les habitants avaient presqu'atteint la limite de leur endurance, à la misère et à la faim apportées par "l'hiver de la faim". Il ne restait plus une miette de pain, presque plus de combustible, et le transport était pour ainsi dire presqu'inexistant. Des milliers d'hommes, de femmes et d'enfants avaient péri.

L'assaut sur Arnhem est lancé le 12 avril et, après de multiples combats de maison en maison, la ville est nettoyée deux jours plus tard. La 5e Division pousse ensuite vers le nord en direction de l'Ijsselmeer, qui se trouvait à quelque trente milles de distance, afin d'encercler l'ennemi qui était aux prises avec la 1re Division près d'Apeldoorn. Apeldoorn fut envahie le 17 avril.

Le 28 avril, les Allemands qui occupaient l'ouest de la Hollande avaient été repoussés jusqu'à une ligne allant approximativement de Wageningen jusqu'à la mer en passant par Amersfoort, et connue sous le nom de ligne Grebbe. Une trêve est déclarée ce jour-là, on cesse de combattre dans l'ouest de la Hollande et quelques jours plus tard, les gens affamés recevaient de nouveau du ravitaillement. Aucun pays de l'Europe de l'ouest n'a été libéré à un moment plus crucial que l'ouest des Pays-Bas, et les soldats canadiens qui avaient si largement contribué à cette libération sont acclamés et accueillis avec grande joie.

Le 25 avril, les troupes américaines et russes se rencontrent sur l'Elbe. Quelques jours plus tard, cerné par les Russes, Hitler se suicide à Berlin. La guerre prend fin une semaine plus tard. Le 5 mai à Wageningen, le général Foulkes accepte la reddition des troupes allemandes en Hollande. Le général Simonds du 2e Corps fait de même sur le front à Bad Zwischenahn. La reddition officielle des Allemands est signée le 7 mai à Reims, en France.

## La fin de la guerre dans le Pacifique

Tandis que des millions de personnes célébraient la journée de la Victoire en Europe (VE), les chefs alliés se préparaient avec acharnement au combat final dans le Pacifique, où les Forces alliées déploieraient toutes leurs tactiques contre le Japon.

Le Canada, lui aussi, se préparait à l'assaut. Près de 80,000 Canadiens se portèrent volontaires pour s'enrôler dans les forces du Pacifique et commencèrent à se concentrer dans neuf garnisons au Canada en juillet 1945. La participation navale du Canada se révéla également impressionnante: 60 navires comptant un équipage total de 13,500 hommes. Toutefois, la guerre prit fin avant que l'on ait besoin de cette aide. Le président Truman des États-Unis avait pris la grave décision d'utiliser la bombe atomique.

Le 6 août 1945, la première bombe atomique fut larguée sur Hiroshima, ville de plus de 100,000 habitants dans le sud d'une des îles du Japon. Les résultats furent terrifiants. Un tiers de la ville fut entièrement effacé de la carte, et le reste n'était plus que ruines. Trois jours plus tard, une seconde bombe, plus grosse que la première, détruisait complètement le port de Nagasaki. Le jour suivant, le gouvernement japonais demandait la paix et, le 14 août 1945, le Japon se rendait aux Alliés sans condition. La Seconde Guerre mondiale venait de prendre fin.

# La guerre en mer

*Un convoi vogue vers la Grande-Bretagne en toute sécurité, protégé par la MRC. Photo prise d'un avion du CARC, mai 1942. (PA-115006)*

Au cours de la Première Guerre mondiale, la première ligne du Canada se situait en France et en Belgique. Au cours de la Seconde Guerre mondiale, les distances étant abolies par des avions à longue portée et les sous-marins, la première ligne touchait la côte Atlantique du Canada et, sur la côte ouest, on craignait de plus en plus une invasion du Japon.

Pour la plupart des Canadiens, la Marine royale canadienne est synonyme de la dure guerre contre les sous-marins dans l'Atlantique Nord (Voir ci-dessus p. 5), mais les navires de guerre canadiens ont également servi dans d'autres mers à d'autres entreprises. Ils ont connu la guerre en Méditerranée, dans les Antilles et dans le Pacifique; ils ont servi avec la flotte britannique près de la Norvège; ils ont accompagné des convois jusqu'en Russie et participé à des opérations côtières au nord-ouest de l'Europe. À la fin de la guerre, 4,000 marins canadiens prêtés à la Marine royale avaient également oeuvré dans ses divers services, depuis l'aviation de marine jusqu'au service de sous-marins.

En 1942, des marins canadiens font partie de l'équipage des péniches de débarquement durant l'infortuné raid contre Dieppe. Ils aident également les opérations alliées en Afrique du Nord: ils convoient et soutiennent les troupes, constituent l'équipage des flottilles de débarquement et, plus tard, protègent les lignes de ravitaillement pour le matériel et les renforts. En 1943, même fortement engagée dans la guerre de l'Atlantique, la MRC est suffisamment considérable pour apporter un apport substantiel aux débarquements en Sicile et en Italie. Quatre flottilles de péniches de débarquement, avec 400 marins canadiens à bord, prennent part à ces opérations. Suite à la capitulation de l'Italie, on a besoin de moins de navires de guerre en Méditerranée; les destroyers alliés peuvent être retirés pour renforcer les forces de l'Atlantique.

Les préparatifs navals pour l'invasion alliée de l'Europe commencent à la fin de 1943. La MRC prend part aux attaques contre les navires de guerre et les navires marchands de l'ennemi, entreprend des patrouilles et appuie des missions de pose de mines

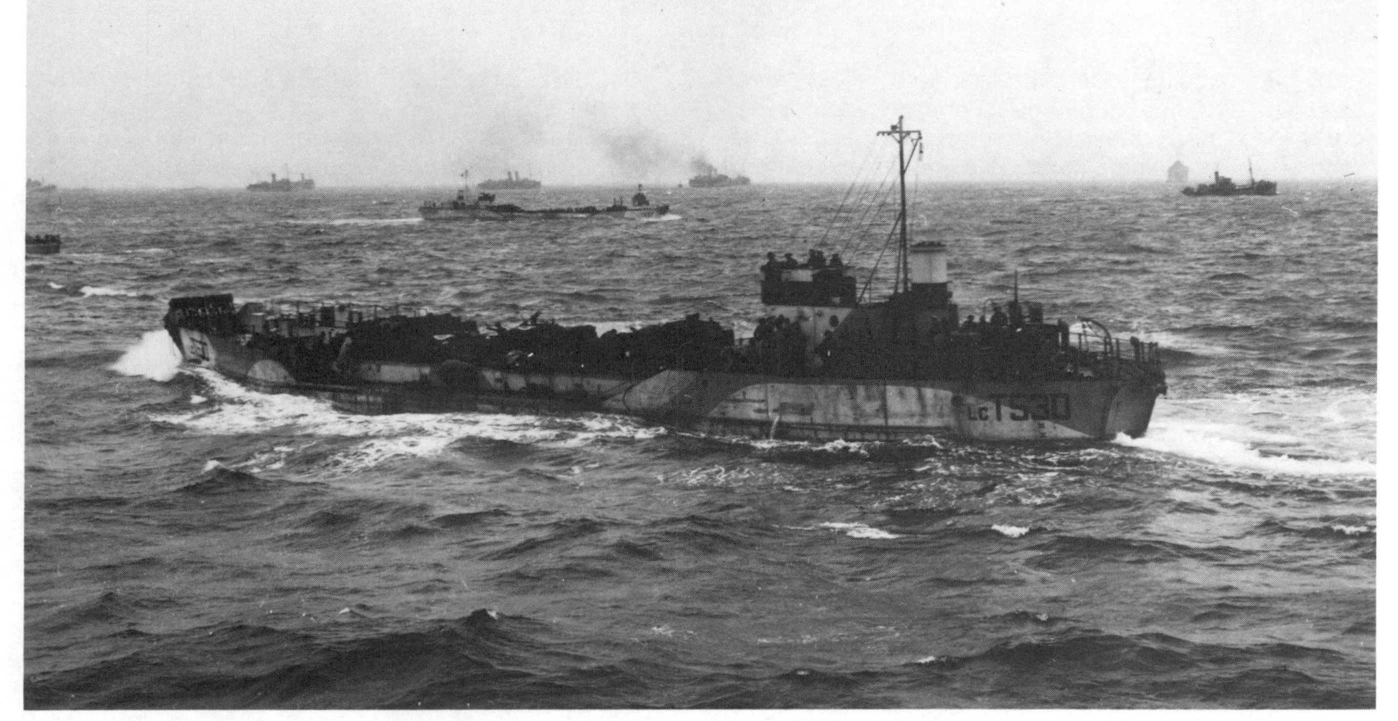

*Une péniche de débarquement de chars double les embarcations du HMCS Prince David. (Archives publiques Canada PD-382)*

dans la Manche. À partir de leurs bases du sud de l'Angleterre, deux nouvelles flottilles de vedettes-torpilleurs canadiennes prennent part à des sorties contre des convois allemands.

Au jour J, en 1944, lorsque la vaste armada alliée s'avance dans la Manche, 60 navires canadiens, destroyers, corvettes, frégates et dragueurs de mines, sont de la partie. Parmi ce nombre, deux flottilles de vedettes-torpilleurs et deux des six groupes d'escorte composés de destroyers, de frégates et de corvettes. Les destroyers canadiens *Haida, Huron* et *Iroquois* aident à protéger les flancs de la flotte pendant la traversée.

L'attaque alliée sur les plages de Normandie commence à l'aube. Les dragueurs de mines passent en premier, nettoyant des voies et posant des bouées éclairantes pour guider l'armada jusqu'à la plage. Six navires canadiens de la classe *Bangor* aident à déblayer la voie à la flotte d'invasion dans le secteur britannique; dix autres font de même aux approches d'une plage américaine. Derrière eux viennent les navires d'assaut, notamment l'*Algonquin* et le *Sioux*, pour bombarder les installations ennemies et couvrir le débarquement des troupes.

Suivent les navires de débarquement; en l'absence de tir ennemi, ils déchargent leurs péniches de débarquement remplies de soldats. Parmi les navires de débarquement d'infanterie on trouve deux croiseurs marchands canadiens convertis, le *Prince Henry* et le *Prince David*, ainsi que trois flottilles de péniches de débarquement. Plus loin à l'ouest, cinq corvettes canadiennes amènent des navires pour former des ports artificiels au large de la grève.

La marine reste active dans les mois qui suivent le jour J. Jusqu'à ce que des ports européens soient pris, le ravitaillement doit se faire par les plages et les dragueurs de mines et les flottilles de péniches de débarquement sont donc pleinement utilisés. Une guerre côtière intense se poursuit également. Deux flottilles de vedettes-torpilleurs canadiennes couvrent les plages près du Havre et participent à des opérations de recherche et de poursuite dans la Manche. Elles détruisent des navires ennemis en convois, coulent et endommagent des torpilleurs et des canonnières

ennemis jusqu'au jour où elles sont elles-mêmes victimes des mines allemandes. Pendant ce temps, des corvettes canadiennes assurent un service d'escorte, repoussant les navires et les sous-marins allemands.

Les efforts combinés des forces navales et terrestres libèrent les ports et forcent les Allemands à abandonner leurs bases de sous-marins du golfe de Gascogne. Cependant, ils déplacent leur flotte sous-marine vers mission de chasse aux navires marchands et de pose de mines.

Des navires canadiens aident également à débarquer des troupes dans le sud de la France et une unité de commando britannique dans l'île grecque de Cythère. Le 14 octobre 1944, les navires canadiens débarquent des soldats britanniques et grecs au Pirée, port d'Athènes.

*Vue de l'extremité est de Hong Kong prise du HMCS Prince Robert, novembre 1941. (Archives publiques Canada PA-114809)*

des bases situées en Norvège et dans la mer du Nord et continuent à menacer les lignes de communication et à attaquer les convois en direction de Murmansk. Le porte-avion d'escorte canadien *Nabob* se joint à la flotte territoriale pour des opérations navales et aériennes contre les cibles allemandes en Norvège, au cours desquelles il est malheureusement victime d'une attaque de sous-marins. Les destroyers canadiens *Algonquin* et *Sioux* demeurent avec la flotte territoriale. En septembre 1944, ils se joignent au service de convoi vers la Russie du Nord et, au cours de l'automne et de l'hiver, servent souvent à protéger des porte-avions en

La guerre contre l'Allemagne tire à sa fin, mais la bataille des mers se poursuit sans relâche. Munis d'un équipement nouveau, les sous-marins n'ont pas dit leur dernier mot. Au cours des cinq derniers mois de la guerre, ils coulent un demi-million de tonnes de navires. Le danger constant d'une attaque sous-marine signifie que les forces anti-sous-marines canadiennes, navales et aériennes, sont toujours nécessaires dans les eaux européennes. Au moins 25 pour cent des 426 navires d'escorte dans les eaux britanniques en 1945 sont canadiens. La MRC assume donc sa large part du fardeau dans la lutte pour la maîtrise des eaux côtières

de Grande-Bretagne. Les statistiques montrent bien l'efficacité de cette force. Sur les 27 sous-marins allemands portés au compte de la MRC entre 1939 et 1945, 20 ont été coulés à l'est du $35^e$ méridien et 17 après le 20 novembre 1943.

Pour la marine, la lutte contre les Allemands se termine le 8 mai 1945.

Une fois l'Allemagne vaincue, toute l'attention peut se porter sur le Pacifique pour la guerre finale contre le Japon. Au cours des premières années de la guerre, alors que la bataille de l'Atlantique était le point critique, le Canada a été forcé de reléguer au dernier rang le théâtre du Pacifique. Les bases ont été agrandies et l'on a réorganisé Esquimalt, Vancouver et Prince Rupert; cependant, en octobre 1940, la seule force navale de quelque importance sur la côte ouest était une réserve composée de 17 navires et 150 officiers et marins recrutés parmi les pêcheurs de Colombie-Britannique.

Ballon de barrage. (Archives publiques Canada 34008)

La côte ouest du Canada devient plus vulnérable avec l'entrée du Japon dans la guerre en 1941. Cependant, on pourra compter sur l'aide de la flotte américaine, concentrée dans le Pacifique, alors que les Canadiens et les Britanniques défendent l'Atlantique.

En juin 1942, les États-Unis demandent l'aide du Canada alors que les Japonais capturent les îles Aléoutiennes Attu et Kiska et bombardent la base américaine la plus proche à Dutch Harbor. Les navires canadiens *Prince David* et *Prince Robert* assurent un service de convoi et aident les Américains à concentrer leurs troupes pour l'attaque contre Attu, qu'ils reprennent en mai. La corvette canadienne *Dawson* effectue un dernier voyage en Alaska en juillet alors qu'elle escorte un convoi de troupes pour l'attaque contre Kiska. Aucun navire de guerre canadien n'est présent le 15 août 1942 alors qu'une force américano-canadienne effectue un débarquement amphibie dans l'île pour s'apercevoir que les Japonais l'ont évacuée.

La participation navale canadienne au dernier épisode de la guerre du Pacifique devait être impressionnante: 60 navires et 13,500 hommes d'équipage. En fait, un seul navire, le croiseur *Ouganda* prit une part active; la fin était venue rapidement pour le Japon, avant que l'on puisse envoyer d'autres navires canadiens.

Les marins canadiens ont joué un rôle important dans la guerre maritime contre l'Allemagne. Ayant commencé la guerre avec seulement six torpilleurs relativement modernes, cinq petits dragueurs de mines et deux navires d'entraînement, la Marine royale canadienne la termina avec 373 navires de combat dont la plupart avaient été construits au Canada. Lorsque les hostilités éclatèrent, nous n'avions qu'une force permanente de 1,800 officiers et hommes, et une réserve de 1,200. Lorsque la paix fut conclue en 1945, ce nombre était passé à plus de 113,000, dont 7,126 femmes enrôlées dans le Corps féminin de la Marine royale canadienne. Des navires canadiens aidèrent à couler 29 sous-marins allemands et italiens, et 1,190 membres de la Marine royale canadienne moururent au service de leur pays.

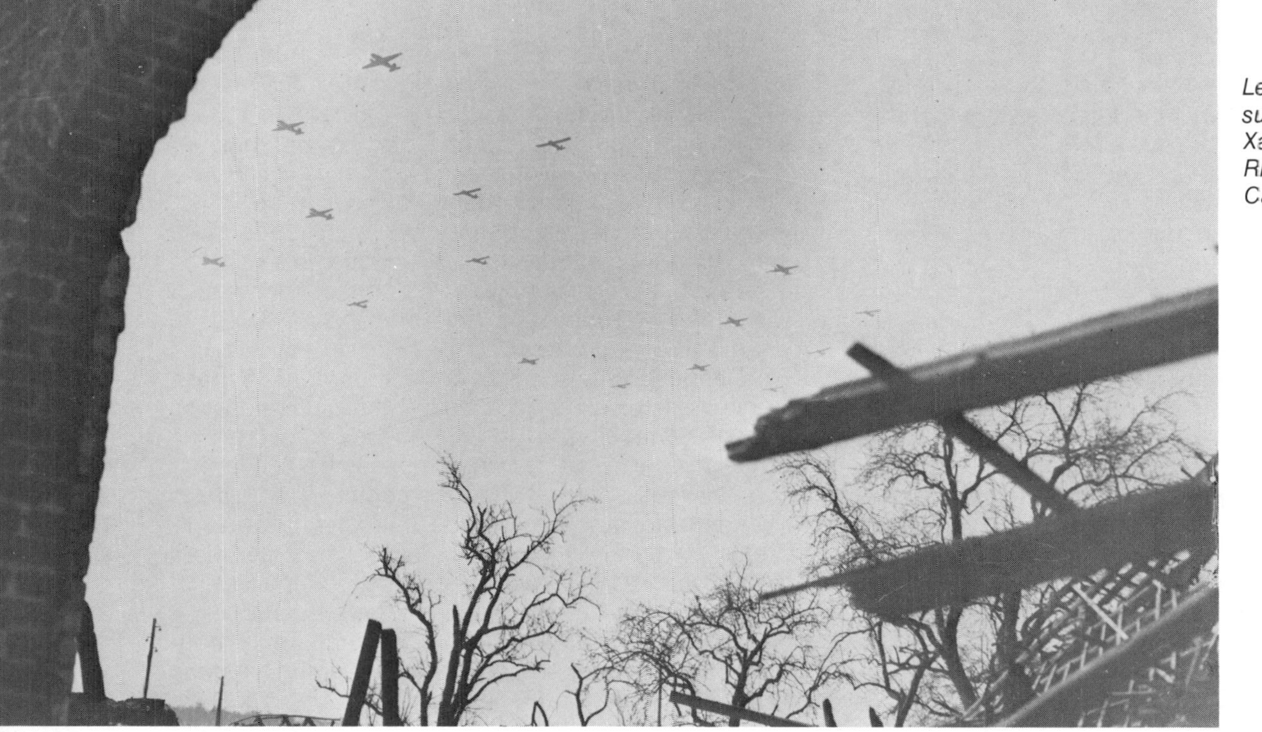

*Les avions de l'armée survolant la région de Xanten en route vers le Rhin. (Archives publiques Canada PL-48607)*

## La guerre dans les airs

Les réalisations canadiennes dans les airs au cours de la Seconde Guerre mondiale ont été remarquables. En 1939, le CARC constituait la plus petite des trois armes du Canada; il manquait d'hommes et son matériel était insuffisant. En 1945, il se plaçait au quatrième rang parmi les aviations des puissances alliées. Des unités du CARC ont pris part à toutes les opérations aériennes importantes outre-mer, depuis la bataille de Grande-Bretagne jusqu'au bombardement de l'Allemagne; en outre, il a joué un rôle important au titre de la formation et pour la protection des navires et des transports. Aucun type d'avion ne leur était étranger: l'infatigable Dakota pour le gros ouvrage, le Mosquito, le Halifax, le Liberator, le Lancaster et, pour la gloire, le Spitfire. Au total, plus de 232,500 hommes et 17,000 femmes ont servi dans le CARC tant au Canada qu'à l'étranger. Ils ont survolé le coeur industriel de l'Allemagne, les déserts du Moyen-Orient, les côtes du Ceylan, la Route de Birmanie, les fiords de Norvège, et ils ont fait la chasse aux sous-marins au-dessus de l'Atlantique. En outre, des milliers d'autres Canadiens ont servi outre-mer avec la *RAF*.

Les aviateurs canadiens ont servi dans trois secteurs principaux au cours de la guerre: le Plan de formation aérienne du Commonwealth britannique; le théâtre des opérations outre-mer et le service territorial.

### Le Plan de formation aérienne du Commonwealth britannique

Une des contributions les plus originales du Canada à l'effort de Guerre était le Plan de formation aérienne du Commonwealth britannique. En vertu d'une entente signée en décembre 1939, le Canada fournissait des installations pour la formation d'aviateurs provenant de toutes les parties du Commonwealth. Situé loin du théâtre des opérations et jouissant d'excellentes conditions de vol, le Canada était idéal pour un tel programme. Il possédait également en grande partie le savoir-faire et les installations nécessaires. Un grand

nombre des Canadiens formés au cours de la Première Guerre mondiale étaient toujours des aviateurs en activité et l'ouverture des vastes territoires du Nord en avait créé d'autres.

C'était une entreprise gigantesque. Il a fallu assembler une armée d'experts, aménager des aérodromes et se procurer le matériel nécessaire, y compris les avions. Le programme fut mis en service au printemps de 1940. À la fin de 1943, plus de 3,000 stagiaires étaient diplômés chaque mois. À la fin de la guerre, le Plan avait produit 131,553 membres d'équipages aériens, notamment des pilotes, des opérateurs-radio, des mitrailleurs et des navigateurs. Plus de 55 pour cent de ces aviateurs étaient des Canadiens.

**Le Service territorial**

Au mois d'août 1939, avant même que le Canada n'entre en guerre, on constituait les secteurs de l'Est et de l'Ouest du CARC qui commençait à patrouiller le Nord-Ouest de l'Atlantique et le Nord-Est du Pacifique. Il s'agissait d'assurer la protection aérienne du Canada et de protéger les convois qui ravitaillaient l'Europe. Tout au long de la guerre, des bases aériennes furent aménagées sur les côtes est et ouest du Canada.

C'est le secteur Est qui assurait presque toute la protection aérienne dans le Nord-Ouest de l'Atlantique au cours de la guerre. Une fois les avions à long rayon d'action disponibles, cette protection s'étendait en mer sur plusieurs centaines de milles; des escadrilles de transport étaient également constituées pour assurer, pour la première fois, un transport lourd régulier et un service de courrier aérien d'un côté à l'autre de l'Atlantique.

Le pire de l'action a eu lieu entre 1942 et mai 1943, les sous-marins ennemis étant entrés en activité dans l'Atlantique Ouest. Il a fallu toutes les ressources du secteur pour répondre à la menace, qui atteignait les eaux canadiennes. Bien que diminué, le danger demeurait jusqu'à la reddition du dernier sous-marin dans le secteur en 1945.

Le tableau de chasse du secteur Est, soit six sous-marins coulés et trois fortement endommagés — ne donne pas une idée juste des milliers d'heures de vol à partir de base isolées, des vastes étendues d'océan patrouillées, généralement par brouillard, non plus que du nombre d'attaques contre les sous-marins ennemis qui ont toutes aidé à protéger les convois de ravitaillement.

Le secteur Ouest ne connut que peu d'action avant l'entrée en guerre du Japon en décembre 1941. Il s'était cependant préparé par des activités intensives de formation et en modernisant son matériel. Entre le printemps de 1942 et le mois de juillet 1943, deux escadrilles de chasseurs et une escadrille de bombardiers de reconnaissance ont accompli avec les Américains des patrouilles de reconnaissance et des missions d'attaque pour aider à chasser les Japonais des îles Aléoutiennes de Kiska et Attu. C'est dans le Nord-Est du Pacifique que fut abattu le seul avion ennemi détruit par le service territorial canadien, un Zéro japonais.

Le secteur de l'Ouest était également chargé d'établir le ravitaillement aérien pour l'Alaska, les îles Aléoutien-

*L'un de trois hydravions de l'aviation allemande détruits le même jour par des Beaufighter d'une escadrille de chasseurs de la défense côtière à grand rayon d'action du CARC basée en Grande-Bretagne. (Photo du MDN PL-19523)*

*Le premier Lancaster construit au Canada se posant sur un terrain d'atterrissage du CARC, situé près de Londres, après avoir survolé l'Atlantique en neuf heures et demie, et ayant à son bord un équipage de bombardement composé uniquement de Canadiens. (Photo du MDN PL-19698)*

nes et la Russie. L'expansion de ce service entraînait en juin 1944 la création du secteur Nord-Ouest, pour administrer et entretenir les aérodromes et les installations.

## Outre-mer

Au cours des premiers mois de la guerre, étant donné ses lourds engagements envers la défense aérienne du Canada et la mise sur pied du Plan de formation du Commonwealth, le CARC ne pouvait se permettre d'envoyer que trois escadrilles outre-mer. Ce nombre augmenta régulièrement et, à la fin de la guerre, 48 escadrilles du CARC servaient en Europe de l'Ouest, en Méditerranée et en Extrême-Orient.

En plus de ceux qui ont servi dans le CARC, des milliers de jeunes Canadiens traversèrent l'Atlantique pour se joindre à la *Royal Air Force*; ils ont participé à tous les aspects de la guerre aérienne en Europe. Ils ont servi dans des unités de défense côtière, de bombardement, de chasseur et d'autres unités de la *RAF*. Peu après l'ouverture des hostilités, on reconnaissait cet apport canadien par la mise sur pied de la première unité canadienne de la *RAF*, l'escadrille 242. L'escadrille a participé aux premières phases de la guerre, y compris des patrouilles effectuées de l'autre côté de la Manche pour protéger l'évacuation de Dunkerque et elle a participé à la lutte pour la survie de la Grande-Bretagne.

Des escadrilles du CARC ont participé à de nombreuses opérations de chasse et de bombardement. Comme nous l'avons vu (page 4), la première escadrille de chasse, après seulement quelques semaines d'entraînement avait participé à la bataille de Grande-Bretagne en 1940. Puis, la *Luftwaffe* étant repoussée et l'invasion allemande empêchée, les chasseurs prennent rapidement l'offensive. Seuls ou avec les bombardiers, ils passent en France et en Belgique occupées pour attaquer les troupes ennemies, les usines de munitions, les aérodromes et les batteries.

Au début, les escadrilles canadiennes volaient en formation avec des unités de la *RAF*, mais le nombre le justifiant, on constitue des escadres entièrement

canadiennes. Au jour J, en 1944, le CARC comportera trois escadres de Spitfire, une escadre de Typhoon, et une escadre de reconnaissance composée de Spitfire et de Mustang. Le 19 août 1942, huit des 74 escadrilles alliées qui appuient le raid contre Dieppe appartiennent au CARC.

Au printemps de 1944, la *Luftwaffe* ayant été virtuellement chassée des régions côtières, on entreprend les préparatifs de l'invasion alliée du continent. Les Spitfire deviennent des chasseurs bombardiers, transportant une bombe de 500 livres sous chaque aile et, avec une escadre de Typhoon, ils bombardent des ponts, des chemins de fer, des postes de radar et les défenses côtières. L'escadre de reconnaissance du CARC, équipée pour des attaques au sol aussi bien que pour la photographie, fait régulièrement des sorties de l'autre côté de la Manche.

Les chasseurs du CARC travailleront également en étroite collaboration avec les armées d'invasion lorsque les Alliés retourneront sur le continent. Pour l'invasion de l'Europe, on forme deux groupes complets de support aérien. Les escadrilles de chasseurs, de chasseurs-bombardiers et de reconnaissance se tiendront constamment en contact avec les troupes de première ligne et aideront les attaques au sol. On espérait que ce serait le CARC qui appuierait les forces terrestres canadiennes au moment de la bataille. En juin 1943, le groupe n° 83, auquel avaient été transféré les escadrilles de reconnaissance et de chasseurs du CARC, était affecté à la 1re Armée canadienne. Six escadrilles du service territorial ont également été envoyées outre-mer et se sont jointes à ce groupe. Même si le groupe n° 83 n'est pas une formation entièrement canadienne, 15 de ses 29 escadrilles et la moitié de son effectif au sol (10,000 hommes) sont canadiens. Le bel espoir de voir les forces terrestres et aériennes du Canada se lancer ensemble au combat ne se réalisera jamais. Au jour J, le groupe n° 83, hautement expérimenté, est transféré à la 2e Armée britannique qui a été désignée pour réaliser le débarquement. Le groupe n° 84, qui appartient entièrement à la *RAF*, est affecté aux Canadiens.

Ce sont les bombardiers qui constituent l'engagement canadien le plus considérable et le plus coûteux dans les airs. En 1940, alors que des centaines de bombardiers nazis ravageaient la Grande-Bretagne, la

*Photo prise pendant un bombardement par un équipage formé uniquement de Canadiens sur un emplacement de lancement de bombes volantes en France, juin 1944. (Photo du MDN PL-30780)*

*RAF* ne disposait que d'un nombre limité d'avions. La situation était désespérée. Au cours de l'hiver 1940-41, les bombardiers de la *RAF* reçoivent en renfort de jeunes aviateurs issus des écoles canadiennes et de nouveaux avions provenant des usines britanniques et canadiennes. Parmi ces avions, on note de gros bombardiers quadrimoteurs — Stirling, Halifax et Lancaster — chacun capable de transporter de cinq à sept tonnes de bombes.

Tout au long de 1941 et de 1942, des raids d'une intensité croissante pilonnent les villes industrielles de l'Allemagne et attaquent les bases de sous-marins, les ports et les centres ferroviaires de la Norvège jusqu'à la

France. À la fin de 1942, de nouveaux appareils radar permettent aux bombardiers éclaireurs, munis de bombes incendiaires et de brillantes fusées, d'indiquer la nuit leurs objectifs aux bombardiers lourds. En 1943, le bombardement de saturation atteint un nouveau niveau d'horreur, les villes allemandes étant soumises à des bombardements massifs.

La responsabilité du Canada à l'égard des opérations de bombardement a aussi été considérablement élargie. La première mission canadienne de bombardement a lieu dans la nuit du 12 juin 1941. Un an plus tard, 68 avions du CARC prennent part au premier raid à 1,000 bombardiers; à la fin de la guerre, les escadrilles canadiennes enverront en même temps plus de 200 bombardiers lourds transportant 900 tonnes de bombes.

Au début de 1943, 11 escadrilles canadiennes de bombardiers sont réunies pour constituer un groupe de bombardiers entièrement canadien, le n° 6, sous le commandement du vice-maréchal de l'air G.E. Brooks, qui sera remplacé un an plus tard par le vice-maréchal C.M. McEwen. Au début, le groupe n° 6 subit de très lourdes pertes. Entre le 5 mars et le 24 juin 1943, le groupe perd 100 appareils, soit sept pour cent de son effectif. Cependant, au milieu de 1944, un meilleur équipement et une meilleure formation, une expérience plus grande, un repos à l'égard des missions de bombardement en Allemagne et la protection des chasseurs qui se maintient jusqu'à l'objectif permettent de renverser la situation. À la fin de 1944, le groupe n° 6 est celui dont les pertes sont les moins élevées.

La valeur des bombardements de l'Allemagne demeure jusqu'à nos jours l'objet d'une dure controverse. Il s'agissait de détruire des installations militaires et industrielles et ainsi, en détruisant les moyens de combattre, de forcer l'Allemagne à se rendre. Cependant, la production militaire n'a été que très peu réduite par l'effet des bombardements tandis que des milliers de civils ont été tués, et de grands centres culturels ont été détruits. C'était un exemple terrible de la guerre totale. Et pourtant, à une époque où les démocraties luttaient pour leur survie, le bombardement massif des civils semblait, à tort ou à raison, justifié.

Aussi, les pertes du service de bombardement étaient tragiquement élevées. Il fallait un courage tout particulier pour survoler nuit après nuit le territoire ennemi en essuyant le feu des défenses allemandes. Bon nombre de ces gros avions ne sont jamais revenus. Les chasseurs de nuit de l'ennemi et un fort tir anti-aérien infligeaient souvent de lourdes pertes. Au total, 9,980 Canadiens ont perdu la vie au service de bombardement.

Lorsque les Alliés retournent enfin sur le continent le 6 juin 1944, le CARC est là pour fournir son appui. Les bombardiers du groupe n° 6 lâchent plus de 870 tonnes de bombes sur les batteries qui surplombent les plages de Normandie et les escadres de chasseurs effectuent des bombardements en piqué des places fortes ennemies et protègent les débarquements alliés. Pendant les durs combats qui se livrent ensuite autour de Caen, le CARC soutient des airs les forces canadiennes et britanniques et lorsque les troupes ennemies sont prises à la souricière de Falaise, les Spitfire et les Typhoon balayent de leurs mitrailleuses les longues colonnes de véhicules. Puis, le CARC aide à couvrir l'avance des armées dans le nord de la France et de la Belgique, en Hollande et finalement la traversée du Rhin et la pénétration en Allemagne même.

Les pilotes du CARC accomplissent de grands exploits alors qu'ils chassent l'aviation allemande du ciel et préparent la voie aux armées. L'escadre de reconnaissance effectue des reconnaissances photographiques et tactiques pour recueillir des renseignements, d'abord pour planifier l'opération elle-même puis pour aider l'avance. Cette escadre devait terminer la guerre plus loin en Allemagne que toute autre unité du CARC. Le Canada a également fourni une escadrille de transport affectée au nord-ouest de l'Europe. Formée à la fin de l'été 1944, elle tire des planeurs pour le débarquement aéroporté à Arnhem en septembre et pour la traversée du Rhin à Wesel en mars 1945. Ces Dakota parachutent des approvisionnements et transportent des troupes, du matériel et des munitions, ils reviennent chargés de blessés.

## Ailleurs

Les aviateurs canadiens ont également pris part à d'autres opérations aériennes et servi dans d'autres parties du monde. À divers moments, sept unités du CARC ont fait partie du service de défense côtière où ils

ont été continuellement utilisés dans la campagne contre les sous-marins allemands, escortant des convois et fouillant les mers de l'Islande à Gibraltar. Une escadrille, postée dans le nord de l'Écosse et dans les îles Shetland servait d'unité de chasseurs côtiers. Elle a effectué des missions de reconnaissance et d'escorte en mer du Nord jusqu'à la côte de Norvège. Plus tard, elle devenait une unité de frappe attaquant les navires ennemis partant de la côte de Norvège pour se diriger vers les ports du midi de la France. Une autre escadrille attaquait hardiment les navires ennemis près de l'archipel Frison et des côtes hollandaises.

*Un groupe de Spitfire pilotés par des Canadiens pendant la guerre dans le désert au Moyen-Orient. (Photo du MDN PL-10067)*

En Méditerranée, les Canadiens ont participé à la tâche importante de préserver Malte des mains de l'ennemi et d'empêcher l'ensemble de la Méditerranée de tomber sous la domination de l'Axe. Le quart des pilotes alliés qui ont participé à la bataille de Malte étaient des Canadiens.

Une escadrille du CARC qui faisait partie de l'aviation du désert, basée en Egypte, a pris part au bombardement du Nord de l'Italie, protégé Alexandrie et couvert l'invasion alliée de la Sicile et de l'Italie. Trois autres escadrilles du CARC ont été envoyées en Méditerranée pour aider à l'invasion de l'Italie et de la Sicile en juin 1943. À partir de leur base de Tunisie, elles attaquaient presque chaque nuit les ports, les cours de triage et les jonctions ferroviaires en préparation de l'invasion.

Une escadrille du CARC faisait partie du secteur aérien de l'Asie du Sud-Est qui patrouillait l'océan Indien et le golfe Persique entre la fin de 1941 et la fin de 1944. C'est en fait un appareil canadien qui a aperçu une flotte japonaise qui approchait de Ceylan; abattu, il réussit quand même à lancer à temps son avertissement.

Deux escadrilles de transport du CARC ont également été envoyées en Asie du Sud-Est en 1944 pour parachuter des approvisionnements dans la jungle et pour transporter des marchandises, des blessés et d'autres passagers. Ces escadrilles non armées ont dû faire face à un tir intense de la defense anti-aérienne japonaise et furent même une fois attaquées par des chasseurs ennemis.

L'aviation, qui avait commencé la guerre avec 3,100 hommes, la terminait avec un effectif de 249,624. Au total, 17,100 personnes ont donné leur vie au service de leur pays.

1 2 3

# Épilogue

La Seconde Guerre mondiale était finie. Pendant les six années de conflit, plus d'un million de Canadiens et de Canadiennes s'étaient enrôlés dans les forces armées. De ce nombre, plus de 45,000 ont sacrifié leur vie à la cause de la paix et de la liberté.

Bien que la contribution du Canada à la victoire ait été naturellement inférieure à celle de ses principaux alliés, soit la Grande-Bretagne et les États-Unis, ses réalisations ont été remarquables. Pour reprendre les paroles de l'historien officiel de l'Armée canadienne, la fiche du Canada "peut exiger le respect, même selon les normes des grandes puissances".

Ce n'est pas seulement l'Armée canadienne qui s'est acquis une réputation enviée. Le Corps d'aviation royal canadien a pris une part importante aux attaques aériennes contre les forces nazies et, par le biais du Plan d'entraînement aérien du Commonwealth britannique, il a aidé à former un grand nombre d'aviateurs d'autre pays du Commonwealth. La Marine royale canadienne a joué un rôle vital dans la protection des convois alliés contre les sous-marins nazis qui se dissimulaient sous la surface de l'Atlantique, et elle fut finalement chargée de protéger la plupart des convois.

L'effort économique du Canada a aussi été impressionnant, et sa contribution financière a été généreuse. Toute une nouvelle série d'industries ont vu le jour pour répondre à la demande de matériel de guerre, en passant des munitions aux véhicules motorisés, aux avions et aux navires. Sur le plan diplomatique, le Canada a joué un rôle de liaison particulièrement important entre la Grande-Bretagne et les États-Unis.

Il ne faut pas surestimer la contribution du Canada à la défaite des puissances de l'Axe, mais, pour un pays d'une population de 11 millions d'habitants, sa participation a été remarquable, et elle a été telle que le Canada s'est acquis le respect d'autres nations. En raison de sa marine, la troisième en importance dans le monde, de son aviation, qui le classe au quatrième rang sur le plan mondial, et de son armée composée de six divisions, le Canada était devenu une puissance mondiale.

Le Canada, en tant que nation, avait atteint sa maturité pendant les horreurs de la guerre, et il était maintenant prêt à assumer de nouvelles responsabilités en tant que membre de la collectivité mondiale.

---

La Commission des sépultures de guerre est chargée d'entretenir les sépultures des membres des forces du Commonwealth morts au cours des deux guerres mondiales ainsi que d'ériger des monuments à la mémoire de ceux dont le lieu de sépulture est inconnu. Le souvenir de 109,980 Canadiens est ainsi perpétué dans 74 pays. Les photos ci-dessus nous montrent des cimetières où sont enterrés les Canadiens décédés au cours de la Seconde Guerre mondiale ainsi que certains mémoriaux destinés à perpétuer leur souvenir.

4 5 6

## Récipiendaires de la Croix de Victoria

Bien que des actes individuels de grande bravoure surviennent fréquemment pendant la guerre, seulement un petit nombre d'entre eux sont vus et consignés. De tels actes servent d'exemples à tous qui admirent et respectent l'auteur d'une telle hardiesse.

Pendant la Seconde Guerre mondiale, treize Canadiens se sont vus décerner la Croix de Victoria qui est la décoration militaire la plus importante remise par le Commonwealth pour un acte de bravoure. Leur vaillance les distingue comme des Canadiens du plus haut rang.

| | | |
|---|---|---|
| Le sergent-major de compagnie John Robert Osborn | *The Winnipeg Grenadiers* | Hong Kong, le 19 déc. 1941 |
| Le lieutenant-colonel Charles Cecil Ingersoll Merritt | *The South Saskatchewan Regiment* | Dieppe, France, le 19 août 1942 |
| Le capitaine honoraire John Weir Foote | Service d'aumônerie canadien | Dieppe, France, le 19 août 1942 |
| Le capitaine Paul Triquet | *Royal 22e Régiment* | Casa Berardi, Italie, le 14 déc. 1943 |
| Le major John Keefer Mahony | *The Westminster Regiment* (mortorisé) | Rivière Melfa, Italie, le 24 mai 1944 |
| Le sous-lieutenant d'aviation Andrew Charles Mynarksi | Aviation royale du Canada | France, le 12 juin 1944 |
| Le capitaine d'aviation David Ernest Hornell | Aviation royale du Canada | Patrouille maritime, Mer du Nord, le 25 juin 1944 |
| Le major David Vivian Currie | *The South Alberta Regiment* (29e régiment d'automitrailleuses) | Saint-Lambert-sur-Dives, France du 18 au 20 août 1944 |
| Le soldat Ernest Alvia Smith | *The Seaforth Highlanders of Canada* | Rivière Savio, Italie, les 21-22 oct. 1944 |
| Le sergent Aubrey Cosens | *The Queen's Own Rifles of Canada* | Route Goch-Calcar, Allemagne, les 25-26 fév. 1945 |
| Le major Frederick Albert Tilston | *The Essex Scottish Regiment* | Hochwald, Allemagne, le 1er mars 1945 |
| Le caporal Frederick George Topham | 1er bataillon canadien de parachutistes | Bois de Diersfordt, Allemagne, le 24 mars 1945 |
| Le lieutenant Robert Hampton Gray | Réserve volontaire de la Marine royale du Canada | Baie Onagawa, Honshu, Japon, le 9 août 1945 |

1. Le Cimetière de guerre canadien de Dieppe. 2. Le Cimetière de guerre canadien d'Adegem. 3. Le Cimetière de guerre canadien de Groesbeek. 4. Le Cimetière de guerre canadien de Bretteville-sur-Laize. 5. Le Mémorial de Bayeux. 6. Le Cimetière de guerre canadien d'Agira.